Vuelve a Descubrir al Rosario

Querido Liliam
Feliz Cumpleaños!!!

Con el Rosario se ganan botellas!
Padre Pío

Un fuerte abrazo
Con Cariño
Andreina.

Vuelve a Descubrir al Rosario

EL PODER MODERNO
DE UNA ORACIÓN ANCESTRAL

MATTHEW KELLY

TRADUCIDO POR ANA LORENA DE LANGE

WELLSPRING
North Palm Beach, Florida

Vuelve a Descubrir al Rosario

Los versos de la Escritura han sido traducidos directamente
del texto en inglés.

Tapa blanda ISBN: 978-1-63582-047-8

Design by Madeline Harris

Para más información visite:
www.MatthewKelly.com

10 9 8 7 6 5 4 3 2 1

Impreso en los Estados Unidos de América

Para el Padre Ron Rieder

Mucho antes de que gozara de popularidad, usted reconoció que
Dynamic Catholic podía ser algo único y de gran impacto.
Usted anticipó las increíbles posibilidades que se desencadenarían
del trabajo colaborativo entre los pastores y *Dynamic Catholic*.

Sé que ha orado y sufrido incesantemente
por la misión de *Dynamic Catholic*, y por mí, a nivel personal.
Que Dios lo bendiga y le retribuya mil veces por su generosidad.

Gracias por todo el amor y el apoyo que me ha brindado.
Nunca sabrá cuanto su estímulo ha significado para mí.

Para Kathy Aull

Por quince años usted me ha apoyado desinteresada y abnegadamente
y cada cosa que hace me permite hacer un poco más de lo que hago.
Simplemente no habría podido realizar todo lo
que he logrado sin su contribución.

Espero entonces que pueda ver algo de usted misma y de su
contribución en cada libro, en cada discurso, en cada programa y en
todo lo que *Dynamic Catholic* ha hecho, está haciendo
y hará en el futuro.

Gracias. Que su vida continúe colmada de amor,
de risas y de sueños hechos realidad.

• • • • • •

Ninguno de ustedes sabrá el impacto que han tenido en mi vida
o en el ministerio que Dios nos ha conferido a mí
y al equipo de *Dynamic Catholic*.

Es para mí un gran honor conocerlos y la fuente de un profundo
sentimiento de humildad.

m.

Contenido

PRÓLOGO   xiii

PARTE UNO

1. Mi recorrido con el rosario   1
2. Una perspectiva singular   13
3. Orando con cuentas   21
4. Oración dinámica   37

PARTE DOS

5. Los misterios gozosos   65
6. Los misterios luminosos   89
7. Los misterios dolorosos   119
8. Los misterios gloriosos   145

PARTE TRES

9. Un rosario escritural   171

PARTE CUATRO

10. Toda familia necesita un gran orante   223
11. Bellamente consciente   229

APÉNDICES

Las bases: ¿Cómo rezar el rosario?   255
Citas, oraciones e himnos acerca de María y del rosario   265
Fiestas marianas   281

Prólogo

El mapa de un tesoro no pierde valor por el hecho de ser antiguo. No hay nadie que encuentre uno y lo descarte por el simple hecho de que su apariencia revela muchos años de uso. Su valor no depende de cuán viejo o nuevo este sea. El valor de un mapa está determinado por dos factores: ¿Conduce el mapa al tesoro? ¿Cuán grande es el tesoro?

La edad no le resta valor a algo ni lo hace irrelevante. Pero ese es el disparate de nuestra era. Hay un legendario vino australiano llamado *Grange Hermitage*. Un vino de la cosecha de 1951 vale unos $40.000 la botella y ciertamente no es menos valioso por el hecho de ser añejo. Ningún coleccionista de vinos en el mundo diría: «No es bueno, pues es muy viejo».

Cada era muestra su arrogancia de diversas formas. La gente de esta época suele menospreciar lo viejo y considera particularmente la sabiduría antigua como algo irrelevante en la vida moderna. La fe católica y el rosario han sido lamentablemente objetos de este disparate. Muchas personas, católicas o no, desestiman el catolicismo y sus prácticas, como la misa y el rosario, considerando que no aportan nada y que son irrelevantes, simplemente por el hecho de que son antiguos. Esta es una de las manifestaciones de la ignorancia ciega que afecta nuestra era.

El catolicismo es el mapa de un tesoro. Estoy de acuerdo, es un mapa muy antiguo, pero aún así conduce a un tesoro —y el tesoro es inmensurable. No hay necesidad de excusarse por su verdad, belleza y sabiduría. Estos tiempos carecen de las tres.

El rosario, de la misma manera, es también un mapa de un tesoro antiguo que todavía conduce al tesoro. Es un tesoro escondido, inagotable. Toma de él todo lo que puedas hoy y si regresas mañana, descubrirás que los tesoros que el rosario ofrece son aún mayores que los de ayer.

PARTE
UNO

Mi recorrido con el rosario

Soy un hombre práctico. Quienquiera que me conozca te lo dirá. Me gustan las cosas que funcionan. No tengo nada en contra de las teorías, pero prefiero las ideas que de hecho sirven. Me inspira la gente que ayuda a otra. Las organizaciones que agregan un enorme valor a las comunidades me inspiran. Hay algo fabuloso en aquello que funciona.

Sabemos mejor esto cuando algo deja de funcionar. Sorprende ver cómo un teléfono o un ordenador que deja de funcionar nos puede volver la vida al revés. Tenemos el hábito de apreciar las cosas mayormente cuando se han ido. Cuando estaba muy enfermo, decidí que nunca más daría mi salud por sentada, pero por supuesto lo hago.

Y tenemos esta gran expectativa de que las cosas simplemente funcionarán. Por supuesto que hay cosas quebrantadas en nuestra nación y en nuestra cultura, pero aun lo que está averiado funciona bastante bien. ¿No están la salud y la educación quebrantadas? Absolutamente, pero no demos por hecho el bien que estos sistemas proveen a pesar de su quebrantamiento. ¿No necesita nuestro sistema político una buena reforma? Probablemente, pero aún gozamos de un notable orden si consideramos las fisuras que parece tener todo en estos tiempos.

Visita cualquier país no tan desarrollado y rápidamente verás que hay muchos lugares en el mundo en donde muchas cosas no funcionan del todo. Es probable que vayas preguntándote: *¿Cómo puede vivir la gente en estos lugares?*

Tal vez por eso tiendo hacia lo práctico, una fuerte tendencia hacia las cosas que de hecho sirven. El punto es: me gusta lo que funciona. Me encanta lo que funciona.

Con cierta frecuencia la gente me hace preguntas sobre el rosario. ¿Reza usted el rosario? ¿Por qué? ¿Cada cuánto? ¿Lo rezó cuando era niño con su familia? ¿De verdad el rosario tiene importancia? ¿Cuánta? ¿Adoran los católicos a María? ¿Por qué le rezamos?

Hay una y mil variaciones relativas a estas preguntas, pero hay tres cosas que siempre comparto al hablar del rosario:

1. Funciona.
2. Te llenará de una increíble sensación de paz.
3. No te conformes con lo que te digo. Tienes que experimentarlo.

El rosario funciona. Hay algo en él que asienta nuestra mente y nuestro corazón. Pone todo en perspectiva y nos permite ver las cosas según lo que realmente son. Llega a las profundidades de nuestra alma y nos calma, generando una paz que es inusual y bella.

¿Cuántas cosas puedes hacer que puedan lograr lo que acabo de describir? Devuélvete y lee ese corto párrafo una vez más. Cuando digo «inusual y bella», no estoy simplemente usando palabras. Lo digo con gran conocimiento de causa. Y ha sido mi experiencia que los únicos que no valoran esta clase de paz son aquellos que nunca la han experimentado. Si esa persona eres tú, me siento emocionado por ti. El rosario va a cambiar tu vida.

Pero he aquí el reto: no aceptes este argumento solo porque yo lo digo. Compruébalo por ti mismo. Desarrolla el hábito de rezar el rosario.

No espero que reces el rosario una vez y te digas: «Matthew tenía toda la razón. El rosario realmente funciona. Mi corazón y mi mente se han apaciguado. ¡Tengo ahora todo en perspectiva! Puedo ver con claridad lo que más importa y lo menos relevante. Mi alma está a gusto y tengo una paz intangible, profunda y permanente».

No, requiere un hábito. Puede ser algo que rezas los viernes por la noche. Así es como empecé yo. Puede ser algo que rezas los primeros sábados de cada mes. Puede ser que sea algo a lo te sientes llamado a hacer a diario. Hablaremos de la frecuencia con qué rezar el rosario y de las diferentes etapas de nuestra vida espiritual un poco más adelante. Lo que quiero dejar claro de acuerdo a mi experiencia es que para experimentar realmente los magníficos frutos del rosario necesitas establecerlo como un hábito espiritual en tu vida.

Llevamos una vida agitada en un mundo caótico. Todo esto nos puede llevar a una confusión que nubla la mente, inquieta el alma y nos conduce a tomar decisiones inadecuadas. En medio de este caos y confusión nuestras almas añoran paz y claridad. ¿Tienes paz? Yo no. No ahora que estoy sentado escribiendo estas líneas, pero tampoco en mi vida, en estos momentos. He tenido un mal día. A todos nos pasa de vez en cuando. Ha sido una semana dura. Parece que algunas cosas relacionadas a tres o cuatro situaciones se han salido de control, todo al mismo tiempo. Ha sido un mes largo y difícil. Sin esperarlo, tuve que añadir un par de viajes a mi agenda, mi esposa tiene siete meses de embarazo, uno de mis negocios está en transición, *Dynamic Catholic* continúa creciendo de una forma fabulosa, pero con ello surgen retos, no me he ejercitado y me encuentro tomando atajos en mi vida de oración.

Entonces no, realmente no tengo paz en este momento. He caído en lo que parece ser mi problema perenne: me comprometo más de la cuenta. Cuando mi vida se torna así, sé que estoy dedicándole tiempo a algunas cosas que Dios no quiere que yo haga. Cada vez que sucede tengo que adoptar una actitud de humildad, refrenarme y decirle a Dios: «Dime de nuevo qué quieres que haga ahora». Este es siempre un buen momento para rezar el rosario y dejar que Dios me llene de nuevo con paz y claridad.

¿SABES ESCUCHAR?

Toda oración es un intento de hablar y escuchar a Dios. Pero escuchar es mucho más difícil de lo que creemos. Requiere paciencia y atención. Escuchar a otras personas es suficientemente difícil, pero escuchar a Dios lleva el reto a un nivel completamente nuevo.

La mayoría de la gente cree que escucha mejor de lo que realmente hace. Los estudios indican que la persona promedio escucha solamente con un 25 por ciento de eficiencia. Eso implica que perdemos mucho. Si estoy dentro del promedio, significa que pierdo el 75 por ciento de lo que me dice mi esposa. Es realmente sorprendente. Si tienes un hijo adulto y escuchas como el promedio de la gente, a lo largo de la vida has perdido las tres cuartas partes de lo que tu hijo te ha tratado de decir. Aun si eres dos veces mejor que el oyente promedio, has perdido la mitad de lo que tu hijo ha tratado de compartir contigo. No es de extrañarse entonces que no nos entendamos ni logremos ponernos de acuerdo.

Si quieres escuchar mejor, puedo decirte: muestra empatía, elimina las distracciones de tal forma que estés presente, recuerda que no eres perfecto, haz preguntas para lograr una mayor comprensión, no huyas al sentirte incómodo, no cambies el tema, trata de no juzgar, no interrumpas, y haz una pausa antes de responder. Pero todo esto radica en salirse de uno mismo.

¿Por qué la mayoría de la gente no sabe escuchar? ¿Cuál es la clave para llegar a ser un gran oyente? Las respuestas a estas dos preguntas están relacionadas.

Nos ponemos en primer plano. Pensamos en nosotros, en lugar de pensar en la persona que está hablando. Nos concentramos en elucidar cómo se relaciona lo que alguien dice con nosotros, en lugar de tratar de ver cómo se relaciona con la persona a la que escuchamos. Cuando estamos ensimismados, no podemos escuchar lo que otros nos quieren decir. Cuando somos capaces de poner de lado nuestras necesidades y enfocarnos en la otra persona, nuestras habilidades de escucha se incrementan exponencialmente.

Escuchar a los demás es difícil, pero escuchar a Dios lo es aún más. Son muchas las cosas que se interponen al escuchar a otras personas y muchas también las que entorpecen nuestra capacidad de escuchar a Dios. Todos los pensamientos, sentimientos, experiencias, temores y ambiciones que tenemos generan ruido y nos distraen, previniendo que podamos escuchar claramente la voz de Dios en nuestras vidas.

Los ejercicios espirituales han sido concebidos para ayudarnos a escuchar la voz de Dios más claramente. No tengo la más mínima duda de que el rosario nos ayuda a escuchar la voz de Dios con mayor claridad. Pero para poder escuchar la voz de Dios claramente, necesitamos permitirle traer un nuevo orden a nuestras vidas. Dios ama el orden.

Podemos llevar vidas muy agitadas en un mundo caótico y confuso, pero aún así anhelamos paz y orden. Hay un orden natural y es en ese orden que encontramos paz. Nuestras vidas pueden desordenarse con facilidad. Nuestra espiritualidad católica ancestral nos invita incesantemente a establecer las profundas raíces de orden en nuestras vidas.

Cuando voy a misa los domingos, sé que Dios va a tratar de reorganizar mis prioridades. La pregunta es: ¿le permitiré hacerlo? Cada domingo, al escuchar el Evangelio, me percato de que debo cambiar mi vida y me digo: «Estoy aun muy lejos de ser la persona que Dios quiere que yo sea» o «tengo todavía mucho trabajo por hacer». Me he dado cuenta de que Dios está constantemente tratando de reordenar nuestras prioridades.

Cuando nos enamoramos de alguien, nuestras prioridades cambian. El amor reacomoda nuestras prioridades. ¿Cuánto amamos? Una manera de medirlo es explorar nuestra disponibilidad para reorganizar nuestras prioridades y poner las cosas en orden. Si le permitimos hacerlo, seremos más felices de lo que jamás habríamos imaginado fuera posible en esta vida y finalmente entonces conoceremos la paz que todos, hombres y mujeres, anhelan, pero que tan pocos encuentran.

No obstante, Dios no nos impondrá estas prioridades. Él nos extiende una invitación para que nosotros elijamos. Una buena parte de la vida se reduce a las decisiones que tomamos. Desde que pasé cinco años de mi vida trabajando en *PUNTO DECISIVO: La experiencia de confirmación con Dynamic Catholic*, la toma de decisiones ha sido uno de los temas centrales en mis presentaciones. Estoy absolutamente convencido de que Dios quiere que nos convirtamos en excelentes tomadores de decisiones. Es una habilidad vital que incrementa sustancialmente las posibilidades de vivir una espiritualidad vibrante y una vida auténtica. La vida se compone de decisiones y constantemente las estamos tomando. Nuestras vidas son una colección de las decisiones y de las alternativas por las que hemos optado.

Estoy igualmente convencido de que es casi imposible sobrestimar la importancia de la escucha como una habilidad para la vida y una disciplina espiritual. Hace unas semanas, un estudiante de secundaria me preguntó: «Si usted estuviera en mi lugar, cuáles son las dos habilidades que se esforzaría en mejorar?» Le respondí: «La toma de decisiones y la escucha. Estas dos habilidades impactan cada aspecto de nuestra vida diaria».

El rosario te enfocará. Calmará tu corazón, tu mente y tu espíritu para que puedas escuchar la voz de Dios. Abrirá tu corazón para reconocer que Él trabaja en tu vida. Te llevará a tomar mejores decisiones, te enseñará a escuchar y te dará la claridad que necesitas para discernir lo que es más importante y lo que importa menos, e inundará tu corazón de paz y de orden.

EL ROSARIO EN MI VIDA

Si todo esto es cierto, ¿por qué no toda la gente reza el rosario mucho más? Las razones son muchas y simples. Primero que todo, tendemos a ser egoístas, y nos atrae lo que no es bueno para nosotros. A veces nos enamoramos con lo que es bueno y correcto, con lo que es justo y responde a un cierto orden, y otras veces buscamos ansiosamente aquello que creó un desorden obvio en nuestras vidas. Estamos en conflicto.

En mi próximo libro *Vuelve a descubrir a los santos*, escribo acerca de cómo los santos han estado siempre con nosotros, a nuestro alrededor en todo momento de nuestras vidas. Los hayamos reconocido o no, ahí han estado. De la misma forma, pienso que el rosario ha estado siempre con nosotros, circundándonos. Puede ser que hubieras visto a tu abuela rezarlo cuando eras niño, o tal vez notaste que el papa de un amigo tuyo lo tenía colgado del espejo retrovisor de su auto. Quizás rezaste el rosario con tu familia durante tu niñez, o tal vez viste a alguien en un taxi o a una estrella de cine usarlo como collar. Simplemente estaba ahí.

No sé si mi recorrido con el rosario ha sido más o menos interesante que el de alguien más. Mis papás me criaron como católico, pero nunca rezamos el rosario en familia. Recuerdo muy vivamente que mi maestra de cuarto grado nos dio un rosario a cada uno en la clase y nos contó una historia acerca del poderoso rol que había tenido en su vida. No recuerdo los detalles, pero sé que me conmovió y treinta años después, aún tengo ese rosario.

Mi maestro de quinto grado, el señor Greck, solía rezar el rosario todos los días en la capilla, a la hora del almuerzo. Cada mañana escuchábamos el aviso: «El rosario se rezará hoy en la capilla a la una de la tarde. Todos son bienvenidos». Todos los días él extendía una invitación personal a la clase para que se uniera. Nadie iba. A veces si alguien era reprendido por conducta, él lo obligaba a ir. Toda la escuela podía asistir: mil doscientos varones, los maestros y el personal administrativo. Sin embargo, usualmente solo había cinco o seis personas ahí. Lo sé porque varias veces me reprendieron. El señor Greck era un tanto diferente. En ese momento no lo entendíamos porque él tenía distintas prioridades. Él nos quería preparar para ser hombres que en el mundo viven para Dios, pero nosotros no escuchábamos.

Muchos años después, le pregunté por qué había rezado diariamente el rosario e invitado por años y años a la escuela entera y continuado haciéndolo a pesar de que nadie llegaba. Me contó una historia sobre su hijo, quien había estado enfermo cuando era niño. Le rogó a Dios que lo sanara. Le rogó a María que le pidiera a Dios que lo sanara. Llevó a su hijo a Lourdes y rogó por su sanación, y su hijo fue sanado. Curado. La enfermedad se fue. Fue algo milagroso, increíble. Algo extraordinario. Me dijo que simplemente estaba dando las gracias. Entre más edad tengo, más pienso que mi maestro de quinto grado, John Xavier Greck, era probablemente un santo.

No fue hasta que tenía quince años que recé a conciencia el rosario. En ese tiempo formaba parte de un grupo juvenil en nuestra parroquia y fuimos a un retiro y rezamos el rosario. Como la mayoría de los adolescentes, andaba inquieto en esa etapa de mi vida. Pero rezar el rosario me impactó y me generó paz. Recuerdo vivamente cuánto eso me sorprendió entonces.

Unos meses después uno de mis mejores amigos me invitó a un grupo de oración. Nunca había oído de un grupo de oración. Pero él era un buen amigo mío, y como sucede frecuentemente, la amistad se convirtió en el puente hacia la nueva etapa de mi crecimiento espiritual. El grupo de oración se reunía los miércoles por la noche, se rezaba el rosario, se leía la Biblia y se discutía la lectura. Fui la primera vez porque en realidad no quería decirle que no a mi amigo. Y la segunda vez fui porque descubrí en el grupo de oración a una joven que realmente me gustó. Dios usa lo que sea para lograr nuestra atención.

No sé cómo sucedió, o incluso exactamente cuándo sucedió, pero fue por aquel entonces que empecé a rezar el rosario a diario, por mi propia cuenta. Cuando pienso en eso, me resulta incomprensible. Si considero cómo es cualquier joven a los quince años y cómo era yo en mi adolescencia, simplemente no tengo ninguna explicación que justifique cómo esto aconteció y continuó. Pero así sucedió.

Cuando empecé a dar conferencias y a viajar a principios de los noventas, yo tenía diecinueve años y estaba rezando tres rosarios al día, todos los quince misterios (la inclusión de los misterios luminosos se dio en 2002). En muchos sentidos fue un período maravilloso en mi vida. Todo lo que hacía era leer, escribir, orar y dar conferencias. Fue un tiempo de intenso silencio, aislamiento y reflexión.

He estado escribiendo y dirigiéndome a las audiencias por veinticinco años ya. ¿No transcurre la vida en un abrir y cerrar de ojos? La gente me dice con frecuencia: «Me encantó su primer libro». Y les pregunto: «¿Y, específicamente, qué les gustó?». Rápidamente me doy cuenta de que no se refieren a mi primer libro. Muchas personas creen que mi primer libro fue *A Call to Joy* (Un llamado al gozo), pues fue el primer libro publicado por una editorial importante. Incluso más gente cree que mi primer libro fue *The Rhythm of Life* (El ritmo de la vida), pues fue el primero en ser certificado como un éxito de ventas. Mi primer libro de hecho fue uno muy corto, *Prayer & The Rosary* (La oración y el rosario). ¿Cómo un joven a los diecinueve años se sienta y escribe un libro sobre la oración? No lo sé. Después de veinticinco años he dejado de intentar entenderlo todo. La aceptación me genera más paz.

LAS ESTACIONES DE LA VIDA

Nuestra existencia transcurre por diferentes estaciones. Son distintas etapas en nuestro peregrinaje espiritual. A lo largo de estas últimas tres décadas, el rosario ha tenido diferentes roles en mi vida y en mi espiritualidad, pero siempre ha tenido un lugar. Ha habido momentos en que lo he rezado con menos frecuencia porque me sentía llamado a explorar otras formas de oración, y ha habido momentos en que lo he rezado menos por pereza o porque simplemente no quise hacerlo. Pero cuando he tenido el deseo, la disciplina o la gracia de rezar el rosario, siempre ha dado fruto.

Cuando he tenido la tentación de dejar el rosario a un lado, siempre recuerdo que la mayoría de las personas a las que me gustaría parecerme en este mundo lo rezan. Tantos santos y personas comunes y corrientes que han nutrido mi vida espiritual son fieles a esta devoción.

Algo tiene el rosario. Es una forma de oración muy poderosa. En cierto sentido puedo explicarlo, y he tratado de hacerlo de la mejor manera posible en estas páginas. En otros sentidos no puedo explicarlo; guarda un cierto misterio que cada quien tiene que experimentar por sí mismo.

Simplemente funciona. Cuando rezo el rosario, soy una mejor persona. Me hace un mejor hijo, hermano, esposo, padre, patrono, vecino, ciudadano y un mejor miembro de la familia humana. Me trae una paz inexplicable; me enseña a tomar las cosas con más calma, a serenarme, a dejar lo que haya que dejar, a renunciar a mí mismo y entregarme, y a escuchar. El rosario nos enseña cómo simplemente ser y esa no es una lección pequeña ni insignificante. De alguna forma es la oración perfecta para la gente con múltiples demandas en un mundo caótico, confundido y agitado.

2

Una perspectiva singular

María es la mujer más famosa de la historia. Ella ha inspirado más arte y música que cualquier otra mujer y aun en los tiempos modernos, fascina la imaginación de hombres y mujeres de todos los credos. En nuestra época, María ha aparecido en la portada de la revista *Times* más a menudo que cualquier otra persona.

Intuyo que si vamos a reconciliar la falta de armonía que existe entre el rol del hombre y de la mujer en la sociedad moderna, necesitaremos la perspectiva y la sabiduría del modelo femenino por excelencia. ¿Sería posible entender la dignidad, el valor, el misterio y lo maravilloso de las mujeres sin comprender primero a esta mujer?

Al mismo tiempo, a pesar de su fama y de la fascinación que ella suscita en la gente, María ha sido rechazada como un modelo a seguir para las mujeres en la edad moderna. Más aun, ha sido rechazada a gran escala como modelo en cualquier ámbito. ¿Qué nos dice eso acerca de estos tiempos? ¿Estamos confundidos? ¿Valoramos cosas distintas que la gente de otra época? ¿Valoramos lo equivocado? Y si fuera así, ¿qué estamos dispuestos a hacer al respecto?

Más allá de su fama y atributos personales, la importancia histórica de María y su relevancia como modelo femenino es medular en la vida cristiana. Los primeros cristianos se congregaban en torno a ella en busca de guía y consuelo, pero a pesar de ello muchos de los católicos modernos la tratan como que si fuera a contagiarnos de una enfermedad. Y por supuesto, nuestros hermanos no-católicos generalmente minimizan el rol de María y su importancia. Uno de los grandes retos que como católicos enfrentamos actualmente es encontrar un lugar genuino para ella en nuestra espiritualidad.

Cuando mi esposa dio a luz a nuestro primer hijo, Walter, mi espiritualidad se transformó de maneras inesperadas. El ser padre por primera vez me llenó de apreciaciones espirituales totalmente nuevas. Hoy por hoy he sido bendecido con cinco niños maravillosos, cada uno especial y singular a su manera. Amo tanto a mis hijos, y si puedo amarlos a pesar de mi quebrantamiento y todas mis limitaciones, ¿cuánto más me ama Dios? A través de mis hijos yo he experimentado el amor de Dios de una forma totalmente nueva.

Añoro estar con mis hijos. Cuando ando de viaje o aun en la oficina durante el día, deseo llegar a casa y abrazarlos, jugar con ellos, estar con ellos. Me impacta pensar que quizás por encima de todo, Dios anhela estar con nosotros.

El nacimiento de mis hijos ha renovado y elevado mi relación con María. Se me ha ocurrido varias veces que no importa cuán grande es el amor que siento por mis hijos, mi esposa tendrá siempre una perspectiva única en sus vidas. No quiere decir esto que ella los ame más o que yo los ame menos. Simplemente quiere decir que una madre ve la vida de su hijo de una forma que nadie más puede ver. Si ocasionalmente no me tomara el tiempo para invitarla a compartir esta perspectiva de madre, de seguro me perdería una parte de la vida de mis hijos.

Una madre tiene una perspectiva única. Nadie ve la vida de un hijo de la misma manera que su madre, ni siquiera su padre. Esta es la perspectiva de María respecto a la vida de Jesús. Ella tiene una perspectiva única. Me parece que todos los cristianos genuinos, no solo los católicos, deberían estar interesados en esta perspectiva —y no solo interesados, sino fascinados. En el rosario reflexionamos sobre la vida de Jesús a través de los ojos de su madre. Esta es una experiencia increíblemente poderosa si nos compenetramos en ella.

¿ADORAN LOS CATÓLICOS A MARÍA?

Me impacta que María, quien fue instrumental en la vida de Jesús, es tan fácilmente dejada de lado y olvidada por tantos cristianos. A muchos claramente les incomoda cualquier tipo de espiritualidad mariana. Por cientos de años este malestar estuvo relegado a los cristianos no-católicos, pero durante los últimos cincuenta años con el pasar de cada década, más y más católicos se sienten incómodos ante la espiritualidad mariana y se sienten cómodos ignorando el papel de María en nuestras vidas y en la vida de la Iglesia.

Esto se debe en gran parte al incesante cuestionamiento por parte de los cristianos no-católicos respecto al lugar de María en la espiritualidad cristiana. La pregunta que han planteado una y otra vez por quinientos años es: ¿por qué los católicos adoran a María?

¿Por qué no hemos respondido a esta pregunta al mundo entero de una vez por todas? Es asombroso cuando das un paso atrás y te pones a pensar en el daño que esta única pregunta ha hecho en la fe de millones de católicos y de la Iglesia como un todo. La respuesta es que nos hemos dejado hipnotizar por lo complejo. La fe católica es tan rica, profunda y extensa que al católico promedio le cuesta reconocer qué es lo esencial o tan siquiera por dónde empezar. La gente necesita puntos de partida de fácil acceso.

¿Por qué los católicos adoran a María? Aun la manera en que esta pregunta está formulada asume que lo que ellos cuestionan es un hecho aceptado. No es un intento de buscar la verdad o el entendimiento, es un intento de atrapar. La pregunta empieza con la suposición de que los católicos adoran a María. No comienza con la búsqueda de la verdad por curiosidad, preguntando: «¿Los católicos *adoran* a María?».

Cuando te ataquen con preguntas, la primera regla es siempre: no aceptes la premisa de la interrogante.

Este cuestionamiento constante por quinientos años, que empezó con la reforma protestante y sigue siendo planteado en estos tiempos por el cristianismo evangélico, ha venido erosionando lenta pero indudablemente la fe de los católicos.

Hoy día hemos llegado a un punto en donde la mayor parte de los católicos no tienen una relación dinámica con María, se sienten incómodos o recelosos del papel que ella desempeña en la liturgia y en la espiritualidad y desestiman el rosario, como que si algo que proviene de otra época y lugar no tuviera relevancia en la complejidad de sus vidas modernas.

Por cientos de años, nuestros hermanos separados nos han acusado de adorar a María (y a los santos) y creo que no hemos respondido adecuadamente a esta pregunta. Es impresionante, inquietante y trágico que no hayamos podido articular y divulgar una respuesta corta y convincente. Este fallo por sí solo ha alterado la historia del catolicismo moderno al sembrar dudas que erosionan la fe. Deberíamos equipar a todo católico en el planeta con la respuesta a la pregunta: ¿adoran los católicos a María?

No. Le rezamos a María, pero no de la misma manera que lo hacemos con Dios, y no para adorarla como una divinidad.

Piénsalo de esta forma: si te enfermaras y me pidieras rezar por ti, yo lo haría. Esto no me define como católico, ni siquiera como cristiano. Existen muchos no-cristianos que creen en el poder de la oración. Si les pregunto a mis amigos cristianos no-católicos si ellos oran por sus cónyuges o por sus hijos, me dicen siempre que sí. Si les pido que recen por mí, me contestarán afirmativamente.

Nuestra relación con María opera bajo el mismo principio. Creemos que María y los santos han muerto, humanamente hablando, pero también creemos que siguen vivos con Dios por toda la eternidad en el mundo venidero. Y creemos que sus oraciones son tan poderosas —incluso más poderosas ahora— que cuando ellos estaban en la tierra. Básicamente les estamos diciendo: «Tenemos problemas aquí abajo. Ustedes saben lo que estoy pasando, pues ya han estado aquí. ¡Por favor, oren por nosotros!».

Nuestros amigos cristianos no-católicos no creen que las personas todavía pueden orar después de esta vida. Nosotros sí. Nuestro universo espiritual es más extenso que el de ellos. De hecho, unos de los aspectos más increíbles de nuestra fe católica es la inmensidad de nuestro universo espiritual.

Por supuesto podríamos profundizar mucho más en la pregunta, pero el católico promedio necesita una respuesta que pueda recordar y articular cuando es cuestionado. Necesitamos de esta respuesta para proteger nuestra propia fe de las dudas que nos invaden sigilosamente, pero también la necesitamos para defender nuestra fe ante los errores, para tener confianza en nuestro catolicismo y para hablar clara y confiadamente sobre esta común objeción.

La devoción a María es un elemento legítimo de la espiritualidad cristiana. Asimismo, es un camino auténtico a Dios y a la virtud heroica.

•••••••

Esta objeción —que los católicos adoran a María— siempre me deja pensando cómo dejamos que llegara tan lejos. Nuestros hermanos cristianos no-católicos objetan al catolicismo con respecto a cinco aspectos muy puntuales:

1. El papa es simplemente otro hombre.
2. Los católicos son idólatras que adoran a María y a los santos.
3. La Escritura por sí sola es la única autoridad; la Iglesia católica no tiene autoridad exclusiva para interpretar las Escrituras.
4. La Eucaristía es solo un símbolo.
5. Somos salvos a través de la fe, no a través de la fe y de las buenas obras.

Hay más críticas hacia los católicos y el catolicismo —y estas son dos categorías, separadas pero conectadas— pero la mayoría de sus objeciones y críticas están relacionadas con las cinco anteriores.

Por quinientos años hemos dejado que nos bombardeen con estas preguntas que hacen al católico promedio querer esconderse debajo de la mesa. Esto conlleva a muchos católicos de buen corazón a pasar un intenso momento de vergüenza. Avergonzarse de tu propia fe no es algo bueno. Su impacto psicológico es masivo y tarde o temprano nos lleva a enfrentar otros efectos negativos a nivel espiritual.

Lo que me entristece es que esto podría ser tan fácilmente evitado. ¿Por qué no hemos educado a cada católico para contestar estas cinco preguntas? Imagínate si desarrollamos respuestas convincentes, concisas y claras respecto a estas cinco principales objeciones; le damos una copia a cada católico; y les explicamos estos asuntos en cinco homilías, tratando una objeción por semana, una vez al año: sería algo maravilloso. Imagínate a cada parroquia en el país haciendo lo mismo por cinco semanas al año. Es bueno y noble que cada parroquia emprenda cosas únicas, pero hay algunas cosas que se necesitan hacer a gran escala, para cada católico y en cada parroquia. Necesitamos comenzar a pensar a un nivel completamente distinto. Darles a los católicos la confianza de hablar de su fe y de responder a las objeciones que se plantean es esencial para el éxito de la nueva evangelización y el futuro del catolicismo.

Necesitamos un breve libro que responda a estas cinco objeciones en un lenguaje accesible e inspirador, lógico y convincente. Es hora. Pronto escribiré ese libro.

El amor y la devoción a María es una parte del cristianismo que se remonta a los tiempos de los primeros cristianos. ¿Quién es María para ti?, ¿qué papel desempeña en tu vida espiritual?, ¿tienes dificultades para centrarte en la espiritualidad o estás buscando una forma de crecer a ese nivel? Estas son preguntas que debemos plantearnos de vez en cuando.

Hay muchas maneras de enfocar nuestra relación con Dios. Muchos hombres y mujeres de gran virtud consideraron la humildad de María como un camino seguro hacia la intimidad con Dios. Se rindieron completamente a la protección y guía de María, rogándole a ella que los llevara aun más cerca de su hijo.

¿Quiénes son tus héroes? Si la madre de uno de tus héroes te invitara a almorzar, ¿no te emocionaría? ¿De qué hablarías? ¿Le dejarías algún mensaje para su hijo? Frecuentemente excluimos la realidad humana de nuestros propios ejercicios y perspectivas espirituales. María fue mujer, esposa, madre y humana —y la madre de Jesús. Ella se rio y lloró, preparó la cena, cambió pañales y experimentó una angustia que jamás conoceremos. Si María te invitara a almorzar, ¿qué le preguntarías?

Me gustaría tener su coraje. Le preguntaría qué sabía ella acerca de Jesús y del futuro que le esperaba, y cuándo lo supo. Luego le preguntaría que cómo tuvo el valor de enfrentar cada día sabiendo lo que iba a suceder.

Jesús es el origen, el centro y el fin de todo. Y así como aprendemos de su vida, de sus enseñanzas y de su persona a través de los Evangelios, podemos también aprender mucho sobre él a través de María. Ella tiene una perspectiva única. Ella nos puede enseñar cosas sobre Jesús como nadie más puede hacerlo.

3

Orando con cuentas

Los católicos no fueron los primeros en orar con cuentas. El origen exacto de las cuentas como medio de oración no se conoce, pero hombres y mujeres de muchos credos las han usado para orar. Su nombre se deriva de que estas piezas que componen el rosario sirven para llevar la cuenta de las oraciones que se rezan. Su cognado en inglés, *bead,* proviene del inglés antiguo *gebed* que significa oración. La imagen más antigua que se ha encontrado de una sarta de cuentas es la de un fresco en Santorini, Grecia, que data del siglo XVII a. C., pero no es hasta el siglo VIII a. C. entre los hindúes que se tiene la primera evidencia de un uso más amplio y generalizado como medio de oración.

Los griegos usan el *komboloi,* el cual consiste en un número impar de cuentas, típicamente diecisiete o veintiuno, unidas mediante un cordón. Parece ser que se usa por toda clase de razones, pero ninguna de ellas religiosa. Los griegos usan estas cuentas como método relajante, para protegerse de la mala suerte, como símbolo de prestigio social, para reducir la urgencia de fumar, o simplemente como pasatiempo.

Los budistas y los hindúes utilizan el *japa mala,* que está compuesto por 108 cuentas, veintisiete que se repiten cuatro veces. Los cristianos ortodoxos del este usan un rosario de nudos hecho de cien de ellos. Las cuentas de oración del islamismo tienen generalmente noventa y nueve o treinta y tres cuentas. Los católicos romanos usan un rosario hecho de cincuenta y nueve cuentas. (La palabra *rosario* se deriva del latín *rosarium* que significa «jardín de rosas»).

Entonces el orar con cuentas ciertamente no fue una idea original, pero nos recuerda con fuerza que todo antes de la venida de Jesús sirvió para preparar ese momento y que Dios anhela transformar todo en algo santo, aun algo tan ordinario como una sarta de cuentas.

El propósito de la oración con cuentas es prácticamente el mismo en todos los casos, permitirle a la persona llevar la cuenta del número de oraciones que se han dicho, mientras la mente se enfoca en el significado más profundo que encierran las oraciones mismas.

ORÍGENES DEL ROSARIO

La historia del rosario está entretejida con la historia de la Iglesia, el desarrollo temprano de la oración cristiana en general, y la evolución del avemaría, el cual obviamente es un elemento fundamental del rosario. Esta oración ha venido evolucionando desde los primeros tiempos del cristianismo. De hecho, podría argumentarse que las raíces del rosario se remontan a una época anterior a la venida de Cristo.

Los padres del desierto eran cristianos ermitaños y monjes que vivían en el desierto egipcio y que tuvieron sus inicios en el siglo III de nuestra era. Ellos usaban piedras o guijarros para llevar la cuenta de sus oraciones. Los guijarros se recogían en un recipiente, y sacaban una piedra al rezar cada uno de los ciento cincuenta salmos.

Se cree que los primeros cordones de oración se desarrollaron a finales del siglo III o a principios del IV por san Antón Abad, uno de los padres del desierto. A medida que surgían diversas comunidades religiosas en distintas partes del mundo, enteras órdenes religiosas comenzaron a rezar los salmos usando esos primeros cordones. Tenían cincuenta nudos y se rezaban tres veces para contar los 150 salmos.

Fue alrededor de esa misma época que surgió una cierta versión de lo que se conoce hoy día como oración del nombre de Jesús u oración del corazón. Las cuentas se usaban para repetirla. La oración del corazón es una oración breve que ha cambiado a través de los siglos y que se recita a manera de invocación, usando las cuentas. Esta oración ha gozado de mucha más popularidad entre las comunidades católicas de los ritos orientales que de los de ritos latinos. Aunque esta oración ha resurgido en el catolicismo occidental a lo largo de los últimos treinta años, su popularidad no se compara a la del rosario, aun considerando que su práctica ha declinado durante ese mismo período.

Parece ser que en sus inicios la oración de corazón era: «Señor Jesucristo, Hijo de Dios, ten misericordia de nosotros». La forma más común que se usa hoy día es: «Señor Jesucristo, Hijo de Dios, ten piedad de mí, que soy un pecador».

No está claro cuando se incorporó la frase «que soy un pecador», pero aún hoy hay muchas variaciones distintas de la misma oración, siendo la versión más simple únicamente el nombre de Jesús, el cual se repite continuamente en cada cuenta.

Para los monjes que no podían leer los salmos, la oración del corazón llegó a ser una forma poderosa de oración personal. Pero su uso no se circunscribía exclusivamente a los que no sabían leer. La sabiduría de los padres del desierto celebraba la simplicidad como un camino que conduce a Dios y por ende este método de oración fue adoptado casi universalmente por los monjes entre los siglos III y V.

El catecismo de la Iglesia católica está compuesto de cuatro partes; estando la última dedicada a la oración cristiana. Ahí encontramos que se hace referencia a la oración del corazón desde el párrafo 2665 al 2669. Demos un breve vistazo a los párrafos 2666 y 2667.

2666 Pero el nombre que todo lo contiene es aquel que el Hijo de Dios recibe en su encarnación: JESÚS. El nombre divino es inefable para los labios humanos, pero el Verbo de Dios al asumir nuestra humanidad nos lo entrega y nosotros podemos invocarlo: «Jesús», «YHVH salva». El nombre de Jesús contiene todo: Dios y el hombre y toda la economía de la creación y de la salvación. Decir «Jesús» es invocarlo desde nuestro propio corazón. Su nombre es el único que contiene la presencia que significa. Jesús es el resucitado, y cualquiera que invoque su Nombre acoge al Hijo de Dios que le amó y se entregó por él.

2667 Esta invocación de fe bien sencilla ha sido desarrollada en la tradición de la oración bajo diversas formas en Oriente y en Occidente. La formulación más habitual, transmitida por los espirituales del Sinaí, de Siria y del Monte Athos es la invocación: «Señor Jesucristo, Hijo de Dios, ten piedad de nosotros, pecadores». Conjuga el himno cristológico de

Filipenses 2,6-11 con la petición del publicano y mendigo ciego que iba suplicando luz (cfr. Mc. 10,46-52; Lc. 18,13).

Tuve mi primer encuentro con la oración del nombre de Jesús cuando tenía casi treinta años cuando un sacerdote bizantino me habló de ella y desde entonces la he usado en diferentes momentos y etapas de mi vida espiritual. Ha habido momentos de mi vida en que me he sentido tan cansado, desorientado y abrumado que esta era la única oración que podía pronunciar.

MÁS QUE UN ACONTECIMIENTO

El rosario se desarrolló lentamente y sufrió muchos cambios sobre la marcha. No solo evolucionó con el pasar de los siglos, sino que inspiró otras prácticas espirituales, tanto con las mismas como con distintas cuentas.

Al poco tiempo de que el papa Gregorio Magno (590-604) instituyera la oración del avemaría durante la misa del cuarto domingo de Adviento, el rosario comenzó a ganar popularidad.

La primera versión de esta oración consistía solo de las palabras del ángel Gabriel, mencionando el nombre de María: «Dios te salve María, llena eres de gracia, el Señor está contigo». Las palabras de Isabel: «Bendita tú eres entre todas las mujeres y bendito es el fruto de tu vientre Jesús», no fueron incorporadas hasta mucho tiempo después, alrededor del año 1050 de nuestra era. Desde entonces, empezamos a encontrar muchos ejemplos de personas que rezaban el avemaría repetidamente, usando una sarta de cuentas.

La genuflexión (acción de persignarse con la rodilla derecha flexionada tocando el suelo) y la postración (acción de tenderse de forma totalmente plana, boca abajo) fueron también incorporadas en la práctica inicial del rosario para darle un carácter de penitencia. Por ejemplo, san Aybert de Crepin (1060-1140) solía recitar a diario ciento cincuenta avemarías, cien de ellas acompañadas de una genuflexión, y las cincuentas restantes postrándose en el suelo.

En el año 1214, santo Domingo de Guzmán, el fundador de la orden dominicana, tuvo una visión de María, presentándole un rosario, tanto la sarta de cuentas como las oraciones que debían rezarse. Aunque esta visión es ampliamente aceptada por muchos católicos y algunos dominicos como verídica, algunos estudiosos están en desacuerdo y debaten su autenticidad. Lo que es definitivamente cierto es que santo Domingo tenía una tremenda devoción a María y al rosario, la cual promovía dondequiera que fuera a predicar. Él alentaba a los católicos laicos a reunirse en grupos pequeños para rezar juntos una forma más temprana del rosario que conocemos hoy día. Estas fueron posiblemente las primeras expresiones de los grupos de oración y de las comunidades pequeñas que todavía siguen teniendo un gran impacto en la vida de las personas.

Mientras que el rosario y el avemaría se desarrollaban, había otra práctica común desde los tiempos de la Iglesia primitiva, la cual consistía en rezar el padrenuestro ciento cincuenta veces. De hecho, antes de que a la sarta con cinco decenas de cuentas se le llamara rosario, se referían a ella como el *paternoster* (padrenuestro en latín) y los artesanos que lo confeccionaban eran llamados los *paternosterers*.

El avemaría estaba aún desarrollándose cuando en 1261 el papa Urbano IV anadió el nombre de Jesús al final de las palabras de Isabel. Pero en este punto la oración no incluía la petición final: «Santa María, Madre de Dios, ruega por nosotros los pecadores, ahora y en la hora de nuestra muerte».

En la primera mitad del siglo XIV, los católicos comenzaron a añadir sus propias peticiones al final de cada avemaría. Hay evidencia de gran variedad de peticiones, siendo las más comunes, peticiones de oración y de protección.

En el siglo XV, tanto el avemaría como el rosario tomaron la forma que conocemos hoy. Entre los años 1410 y 1439, Domingo de Prusia añadió los misterios, y así, cada década cobró singularidad al centrarse en un evento de la vida de Jesús y María. Esto abrió sin duda las posibilidades a la imaginación espiritual para contemplar estos momentos épicos.

Domingo de Prusia incorporó también una frase de la Escritura después de cada avemaría, estimulando aún más la imaginación espiritual. Se cree por tanto que esta fue la primera vez que los laicos fueron animados a meditar mientras rezaban el rosario. Estos versos bíblicos no son parte de la versión moderna más común del rosario; el rosario escritural aún se practica por algunos de aquellos que rezan el rosario regularmente. He recopilado una versión del rosario escritural y la he incluido más adelante en este libro para aquellos que estén interesados en explorar esta modalidad.

La siguiente persona que influyó en el desarrollo y la difusión del rosario fue un teólogo considerado experto en múltiples formas de oración. Se llamaba Alano de Rupe, de Bretaña (1428-1475), hoy día una región del noroeste de Francia.

El rosario capturó la imaginación de este teólogo como una poderosa herramienta de crecimiento espiritual, entendiendo luego que esta oración era para todos. No era necesario ser sacerdote o monja, rey o reina, rico, con títulos nobiliarios o un alto nivel de educación, no se necesitaba de algo más. El rosario era una oración democrática y a la mano, lo que significa que no solo está al alcance de toda la gente, sino al alcance de todos, en todos los lugares y en todo momento.

Rupe se propuso difundir el rosario a las masas a través de toda Europa, y lo logró. Estableció cofradías del rosario, donde los miembros se comprometían a rezar quince décadas del rosario a la semana y a orar por cada uno de ellos.

El siguiente gran paso para el avemaría tuvo lugar ochenta años más tarde, en 1555, cuando san Pedro Canisio publicó el avemaría en su catecismo con la petición final casi completa. Su versión decía al final: «Santa María, Madre de Dios, ruega por nosotros los pecadores». Once años después, el Catecismo del Consejo de Trento (obra en la que Canisio tuvo un papel primordial) incluyó por primera vez la petición entera, concluyendo con las palabras «ahora y en la hora de nuestra muerte. Amén».

La versión del avemaría que rezamos hoy fue finalmente aprobada en el año 1568, con la publicación del nuevo breviario romano. Al año siguiente el papa Pío V la encomió como una devoción para todos los fieles en la bula pontificia *Consueverunt Romani Pontifices*.

Hemos venido usando el término rosario a través de nuestra elocución, pero no es hasta 1597 que hay evidencia del uso de esta palabra. Por trescientos veinte años, desde 1597 hasta 1917, tanto el avemaría como el rosario permanecieron inalterados. Es realmente un largo período de estabilidad para algo que vino evolucionando por seiscientos años.

Durante esos trescientos veinte años se escribió y se habló mucho del rosario. La perspectiva más notable fue la del papa Pablo VI dando luz al entendimiento de que el rosario es un compendio del Evangelio o sea una recopilación de los escritos o ideas sistemáticamente ordenadas para maximizar la experiencia de aquellos que se tomaron el tiempo y se esforzaron. El papa Pablo VI estaba diciendo que cuando rezamos el rosario, nos compenetramos en una experiencia intensa y sintetizada del Evangelio.

FÁTIMA Y EL PAPA JUAN PABLO II

Dos eventos importantes —uno a principios del siglo XX y otro a inicios del siglo XXI— cambian la forma y la experiencia del rosario para siempre. El primero, el 13 de mayo de 1917, María se apareció a tres pastorcillos en Fátima, Portugal, mientras jugaban en el campo. Los niños se llamaban Jacinta, Francisco y Lucía. María les pidió que regresaran a ese mismo lugar el 13 de cada mes por los cinco meses siguientes, prometiendo que cada vez ella se les manifestaría y les confiaría un mensaje.

María también les pidió a los niños rezar el rosario diariamente por la paz del mundo. Esto fue cincuenta años antes de que la idea sobre la paz mundial se popularizara a través de celebridades y estudiantes universitarios, hacia los inicios de lo que fue un siglo de guerras.

El 13 de julio de 1917, María les pidió a los niños añadir una breve oración al final de cada década: «Oh Jesús mío, perdona nuestros pecados, líbranos del fuego del infierno, lleva a todas las almas al cielo, especialmente a las más necesitadas de tu misericordia». Hoy nos referimos a ella como la oración de Fátima, y muchos católicos la incorporan en el rosario.

Los niños de Fátima claramente temían el infierno, pero extraordinariamente, no solo por ellos. Temían que cualquier persona experimentara el infierno después de la muerte, aun y quizás particularmente aquellos que ni siquiera conocían. Setenta y cinco años más tarde, el papa Juan Pablo II hablaría de extender los límites geográficos de nuestra oración. Instó a los católicos a ir más allá de la oración por sí mismos, por su familia, su parroquia y su nación. Invitó a los católicos a extender la geografía de su oración y a tocar cada rincón de la tierra.

Setenta y cinco años antes aquí estaban estos tres pastorcillos: Lucía tenía nueve años, Francisco ocho y Jacinta apenas seis; sin embargo, la geografía de su oración era global.

El papa Francisco visitó Fátima el 13 de mayo de 2017 para celebrar el centenario de la primera aparición y para canonizar a Jacinta y Francisco.

El segundo evento que cambiaría la forma del rosario aconteció cuando Juan Pablo II, tras haber rezado el rosario como pontífice por veintitrés años, cautivando así al mundo entero, hace su propia contribución a su evolución. El 16 de octubre de 2002, publicó *Rosarium Virginis Mariae* (Rosario de la Virgen María), una carta apostólica dedicada al rosario. En este texto propuso añadir al rosario cinco nuevos misterios. Les llamó misterios luminosos, o misterios de la luz.

El haber incorporado los misterios luminosos seiscientos años después de que los misterios gozosos, dolorosos y gloriosos habían sido establecidos fue un paso valiente dado por un hombre que era ampliamente conocido por la profundidad de su vida de oración y su inagotable devoción al rosario. Me pregunto cuántas veces habrá rezado los misterios luminosos antes de escribir *Rosarium Virginis Mariae*. Me pregunto cuáles otros eventos en la vida de Jesús consideró, pero al final no incluyó.

Los misterios luminosos son:

• El bautismo de Jesús en el río Jordán

- Las bodas de Caná
- La proclamación del reino de Dios
- La transfiguración de Jesús
- La institución de la Eucaristía

Absolutamente todo lo que Jesús hizo y dijo revela algo sobre él. Aquellos que estaban centrados en lo terrenal y atrapados en las cosas de este mundo comprendieron muy poco de lo que Jesús les estaba revelando. Otros con una mayor conciencia espiritual, que estaban prestando atención no solo con sus ojos y oídos, sino con su alma y corazón, absorbieron mucho más de lo Jesús les estaba revelando. Hay días en que rezo el rosario y me siento parte del primer grupo y hay otros en que me identifico con el segundo. Pero estos nuevos misterios nos dan a todos la oportunidad de reflexionar en lo que Jesús quiere revelarnos de maneras nuevas.

Estos misterios luminosos, estos momentos de luz, fueron momentos épicos en la vida de Jesús cuando su divinidad se manifestó con gran ímpetu en medio de las actividades humanas ordinarias, revelando su asombroso poder —el asombroso poder que con tanta frecuencia se malentendió; el mismo asombroso poder que en última instancia lo llevó a ser ejecutado como un delincuente.

Estos misterios luminosos nos hablan a gritos: «¡Este es el escogido, el que ustedes han estado esperando por tanto tiempo. Este es el Mesías, el Hijo de Dios!». Algunos se han dado cuenta de que estos poderes no tenían por objetivo llamar la atención ni saciar una necesidad ególatra que no hubiera sido satisfecha. Estos grandes poderes eran de hecho un reflejo tenue de su divinidad. Él tenía el poder de montar un espectáculo que habría capturado la atención de todos. Pero

Dios es todo un señor y siempre defiende la posibilidad del amor al respetar nuestro libre albedrío. La mayor parte de las personas se sintieron temporalmente magnetizadas ante los milagros de Jesús, pero nunca vieron más allá del hecho en sí para comprender lo que reflejaba.

EL ROSARIO HOY EN DÍA

Los católicos modernos del mundo occidental han abandonado el rosario. Si les preguntas las razones, no estoy seguro qué podrían contestarte. Ha sucedido gradualmente —las nuevas generaciones no lo han acogido y las generaciones mayores han partido de este mundo.

Sospecho que una de las razones por las cuales el rosario ha llegado a ser tan poco popular durante la era moderna es porque ha sido estereotipado como la oración de una señora mayor, excesivamente piadosa, con poca educación y mucho tiempo en sus manos. En un mundo complejo donde admiramos y reverenciamos el conocimiento y los títulos académicos, la piedad se considera como algo al borde de la superstición y con gran frecuencia las cosas simples se desestiman arrogantemente. Ahora somos gente sofisticada, educada y no tenemos necesidad de esos simples ejercicios espirituales del pasado.

El declive en el rezo del rosario va mano a mano con un interés decreciente en Dios, en la religión y en la espiritualidad en general. Hipnotizados por la complejidad, muchos se han extraviado. No están seguros de quiénes son o por qué están aquí, no saben reconocer lo esencial de lo irrelevante. Pero continúan caminando, adentrándose cada vez más en las profundidades del bosque, en busca de respuestas que solo pueden encontrarse en la claridad.

La piedad simplemente tiene que ver con darle reverencia a Dios. He pasado suficiente tiempo con amigos famosos para ver que la mayoría de la gente siente mayor reverencia por su músico o actor preferido que por Dios. Y más allá de este absurdo encontramos que un número alarmante de personas tiene más reverencia hacia ellos mismos que hacia Dios.

¿Le has mostrado hoy tu reverencia a Dios? ¿Cómo? ¿Por qué?

Cuando de nuevo pensamos con claridad, anhelamos lo simple y encontramos múltiples razones para reverenciar a Dios todos los días.

Actualmente, los católicos han abandonado el rosario porque se han dejado seducir por la complejidad. Le demostramos nuestra lealtad y respeto a la complejidad, pero es la simplicidad la clave de la perfección. La paz en nuestro corazón brota de la simplicidad en nuestra vida. Todos los grandes líderes a través de la historia han concordado en que generalmente las soluciones más simples son las mejores. La genialidad de Dios es la simplicidad. Si deseas acceder a la maravilla, la gloria y el poder de Dios, simplifica tu vida —y comienza con la oración. Ora sencillamente.

Nuestras vidas sufren ante el peso intolerable de la incesante complejidad a que nos vemos sometidos. Lo complicamos todo. Y a medida que esta enfermiza fascinación con la complejidad ha penetrado nuestra cultura moderna, ha afectado también nuestra actitud hacia la oración. Consecuentemente, como católicos modernos, hemos subestimado el rosario en el mejor de los casos y en el peor, lo hemos despojado de todo valor. No menospreciemos la simplicidad. Encierra un verdadero poder.

La sencillez es uno de los frutos del rosario. Al meditar en los momentos de la vida de Jesús y María, descubrimos lo que importa más y lo que importa menos, y emerge una bella claridad. Acoge el rosario y María te enseñará cómo ordenar tu corazón, tu mente y tu alma con el genio de la sencillez.

El rosario no es únicamente una oración para las señoras mayores y canosas que disponen de mucho tiempo en sus manos. Es una rica práctica de la que todos podemos beneficiarnos. Esta es la opinión divergente, la verdad ignorada. Probablemente necesitamos hoy más del rosario que en cualquier otro momento de la historia, pero tenemos menos capacidad de acogerlo que en cualquier otra época debido a nuestros valores totalmente fuera de lugar, nuestra deformada visión de mundo, y nuestra excesiva y presuntuosa confianza en nuestro propio intelecto.

El rosario es una oración ancestral y a la vez siempre nueva y siempre fresca. Es una práctica espiritual para los hombres y las mujeres de cualquier época y de todos los tiempos. A aquellos que la hacen parte de su vida les recompensa sus esfuerzos con creces. Es ese antiguo mapa del tesoro que ha conducido a incontables hombres y mujeres de toda condición a las riquezas de la paz, del gozo, de la claridad y de la satisfacción. Pero no me tomes la palabra. Descúbrelo tú mismo.

EL ROSARIO, SIEMPRE ANTIGUO Y SIEMPRE NUEVO

Por más de dos mil años, el rosario ha venido evolucionando y cambiando. El avemaría se convirtió paulatinamente, a lo largo de más de mil años, en la oración que conocemos hoy.

Incorporamos nuevos elementos a la práctica del rosario y luego los dejamos. No conozco a nadie que haga la genuflexión un centenar de veces o se postre en el suelo cincuenta veces como lo hizo san Aybert.

¿Ha alcanzado el rosario su mejor versión? Solo Dios sabe. Pero si no es el caso, veremos más cambios en el futuro. O quizás en cada época, el rosario ha exhibido su mejor versión para la gente de su tiempo. Tal vez ha evolucionado para ir a nuestro encuentro, allí donde estamos como Iglesia en nuestro peregrinaje espiritual, con las necesidades particulares que tenemos en un momento dado y de las que posiblemente ni siquiera nos percatamos.

El punto es que algunas cosas son un misterio. Es bueno tener un cierto grado de misterio en nuestra vida. Si conociéramos todo, si lo entendiéramos todo, si todo nos hubiera sido explicado o contundentemente probado, no habría espacio alguno para la fe —la cual parece ser esencial en el plan de Dios para el mundo y la humanidad.

Entonces, con todo lo que sabemos respecto al pasado, estamos invitados a dar con valor un paso hacia un futuro incierto. Es nuestra espiritualidad la que nos da el coraje de avanzar osadamente hacia un futuro incierto, esperando lo bueno. Ahora nos hemos encontrado con una de las más grandes cualidades espirituales: la habilidad de apreciar la incertidumbre. No de tolerarla, sino de apreciarla. Por cientos de años, el rosario le ha ayudado a personas ordinarias y extraordinarias a apreciar la incertidumbre. Aprender a tener gozo ante la incertidumbre, a rendirse ante la providencia abundante de Dios, es un extraordinario don espiritual de Dios —y es uno de los muchos dones que él quiere darte a través del rosario.

4

Oración dinámica

La oración es por naturaleza dinámica. ¿Qué viene a tu mente cuando escuchas la palabra *dinámico*? Por definición significa «siempre fresco, siempre nuevo, en crecimiento o mejora constante, una fuerza que estimula el cambio o el avance de un sistema o de un proceso».

La oración es algo dinámico. Siempre es fresca, siempre es nueva. El hábito de la oración diaria es como una marea, las olas vienen y van y con el pasar del tiempo cambian la costa. La oración impulsa el progreso. Es una fuerza que estimula el cambio. Es un proceso poderoso que constantemente evoluciona y te transforma continuamente en tu mejor versión. A veces la ignoramos y a veces la abandonamos, olvidándonos que la oración es un don de Dios que va más allá de lo que nuestra imaginación puede concebir.

AL ENCUENTRO DE LAS PERSONAS, ALLÍ DONDE ESTÁN

Cuando *Dynamic Catholic* fue fundada, adoptamos la frase «al encuentro de las personas, allí donde están» como uno de nuestros principios fundamentales. Con mucha frecuencia, los ministerios se detienen a unas pocas millas antes de llegar al lugar en donde realmente está la gente. Como un presidente que no sabe lo que cuesta un galón de leche, cuando estamos tratando de conducir a otros a Dios, a menudo perdemos la perspectiva respecto al lugar en donde ellos *realmente* se encuentran. Ir al encuentro de las personas, allí donde están, es fácil de decir e increíblemente difícil de hacer.

La oración que es dinámica va al encuentro de la persona allí donde está y con cada encuentro la lleva un paso más cerca de Dios. El rosario es una forma poderosa de oración dinámica. Siempre es fresca, no cesa de renovarse, y como un amigo fiel, nos tiene paciencia, nos alienta a crecer, nos reta a cambiar y nos conforta en tiempos de duda, de desaliento y de confusión. Es también mediadora de un proceso que constantemente nos transforma en alguien más cercano a la persona a la que Dios nos llama a ser. Al mismo tiempo, por la manera en que invita a meditar sobre la forma en que las oraciones y los misterios se relacionan con nuestra propia vida, es profundamente personal.

¿Cómo logra el rosario todo esto? No cambia cuando lo rezamos. Es el mismo hoy que el año pasado y, sin embargo, podemos experimentarlo de forma completamente diferente hoy que ayer o la semana pasada. El rosario no cambia, pero nosotros sí. Nuestras interrogantes cambian. Las dificultades e inquietudes que enfrentamos también cambian. Nuestra fe y nuestras dudas cambian. Donde nos encontramos en nuestro caminar con Dios cambia. El rosario provee el contexto, el formato y el proceso para que Dios nos hable sobre todas estas cosas.

Es realmente asombroso si te das el tiempo para reflexionar en ello. Desafortunadamente en nuestro esquema de pensamiento, en nuestra cultura superficial, el rosario es visto como algo de otra época, estático e irrelevante. Y en estos días hay cada vez menos testigos que están dispuestos a ponerse de pie y decir: el rosario sanará tu historia, dará paz a tu espíritu, te ayudará a construir relaciones dinámicas, te ayudará a enfrentar los temores no resueltos, a transformar tu vida, a sanar tu alma y a mucho más.

¿Quién no necesita sanar su historia? ¿Quién no desea relaciones dinámicas? ¿Quién no quiere ser rescatado de la turbulencia y la ansiedad de la vida moderna y que le sea otorgado un corazón estable para atravesar los altibajos de la vida?

Cada vez que rezas el rosario, Jesús te da la bienvenida mientras te adentras en su vida y tú haces lo mismo mientras le abres tu vida a él. Únicamente pueden suceder cosas buenas cuando invitas a Jesús a tu vida.

El rosario es verdaderamente una oración dinámica.

• • • • • • •

Una de las cosas que se evidenció claramente durante los estudios realizados por *Dynamic Catholic* para explorar la diferencia entre los católicos comprometidos y los que no lo son fue la indiscutible importancia de la oración diaria. Lo que antes sospechaba, ahora lo sé con certeza: una rutina diaria de oración es la fureza motriz de compromiso entre los católicos. Repentinamente, como en medio de un estruendo, comprendí que si dedicaba el resto de mi vida simplemente ayudando a la gente a desarrollar una rutina diaria de oración, invertiría bien mi vida.

Pasé muchos meses reflexionando sobre la mejor forma de hacerlo y durante ese tiempo me surgió la siguiente interrogante: si pudieras lograr que cada católico orara de la misma manera diez minutos cada día, ¿cómo los alentarías a dedicar esos diez minutos?

Posiblemente estás esperando que mencione el rosario en este momento, pero no, porque el rosario toma más de diez minutos. Por supuesto hay otras razones para ello, pero son irrelevantes ahora.

Lo que se necesitaba era una modalidad de oración que atrajera tanto al novato como al que lleva camino recorrido en su vida espiritual. Tenía que ser una forma de oración que pudiera ser enseñada rápida y fácilmente, idealmente una que pudiera describirse en algo del tamaño de una tarjeta de presentación.

Así es como surgió *El proceso de oración*. Le ha enseñado a orar a millones de personas y le ha dado una forma concreta a una experiencia diaria de oración. Pero su poder real yace en la forma en que se expande o se contrae de acuerdo a la situación en que la persona se encuentre en ese preciso momento de su vida. Va al encuentro de la persona, allí donde esté.

Simplemente tal como una sinfonía se conforma a partir de cuatro movimientos bien diferenciados, *El proceso de oración* se construye con base en siete aspectos relevantes de nuestra vida diaria y de la lucha universal por transformarnos en aquella persona que Dios ha visualizado para nosotros como seres humanos. Echemos un vistazo a las siete partes de este proceso.

EL PROCESO DE ORACIÓN

1. **Gratitud:** Comienza agradeciéndole a Dios en un diálogo personal aquello por lo cual estás más agradecido hoy.

2. **Conciencia:** Revisa los momentos durante las pasadas veinticuatro horas cuando fuiste y cuando no fuiste la mejor versión de ti mismo.

3. **Momentos significativos:** Identifica algo que experimentaste hoy y explora lo que Dios estaba tratando de decirte respecto a ti y a ese evento (o persona).

4. **Paz:** Pídele a Dios que te perdone por el mal que cometiste (en contra tuya, de otra persona o en contra de él) y que te llene de una paz profunda y perdurable.

5. **Libertad:** Habla con Dios sobre la forma en que él te está invitando a cambiar tu vida, para que así puedas experimentar la libertad de ser la mejor versión de ti mismo.

6. **Otros:** Encomienda a Dios cualquier persona por la cual te sientas llamado a orar hoy, pidiéndole que la bendiga y la guíe.

7. Termina rezando un **padrenuestro**.

Cada una de las siete etapas del proceso de oración trata de un enorme tema espiritual, pero al nivel de lo que sucede en la vida de cada uno. En lugar de decir: «Esto es pecaminoso y no deberías estarlo haciendo. Debes frenarlo ahora», el proceso de oración aborda nuestra pecaminosidad desde el ángulo de la libertad —la cual es una temática enorme a nivel espiritual y el anhelo de todo corazón humano— y nos invita a hablar con Dios sobre cómo nos invita él a cambiar nuestra vida.

El proceso de oración tiene la habilidad de expandirse o contraerse de acuerdo a la situación particular en que se encuentra cada persona en su peregrinaje espiritual. Un monje cartujo de setenta y cinco años de edad y diez mil horas de experiencia de oración puede aplicar este proceso y tener una experiencia dinámica. De la misma forma, alguien que apenas está empezando a establecer el hábito de la oración en su vida puede orar haciendo uso de esta guía y tener una experiencia tan dinámica como la del monje. Ambos usan el mismo formato u oración, pero oran respecto a cosas distintas —aun así los dos tienen experiencias impactantes y dinámicas.

Asimismo, cada grupo de misterios del rosario está conformado por cinco movimientos que nos llevan a meditar en eventos muy específicos de la vida de Jesús y María, y en las lecciones de vida que guardan para nosotros. El monje cartujo y el aprendiz podrían rezar los misterios gozosos y ambos experimentar el poder y el dinamismo de la oración, aun cuando sus meditaciones hayan sido muy distintas.

A través de la oración, Dios quiere ir a nuestro encuentro, y está feliz de reunirse con nosotros ahí donde estamos. Cualquier otro camino nos conduciría a pretender que somos alguien más, no nosotros mismos. Y si hay un lugar en donde deberíamos ser auténticamente nosotros mismos y despojarnos de toda pretensión y engaño, es en la oración. Pretender en la oración que somos alguien más es una mentira trágica y contraproducente.

El rosario es siempre nuevo, no porque cambie, sino porque nosotros cambiamos. La corriente de la vida nos lleva constantemente hacia nuevos rumbos, y el rosario nos encuentra ahí para ayudarnos a darle sentido a esas nuevas situaciones y a los retos y oportunidades que conllevan.

LA ORACIÓN REFLEJA EL AMOR

Las formas dinámicas de orar reflejan tanto amor como intimidad. El amor es creativo. El que ama busca maneras nuevas y especiales de pasar el tiempo con su amada, pero también atesora las formas regulares y ordinarias de pasar el tiempo juntos. Los enamorados no van al mismo restaurante a la misma hora cada semana a hablar de lo mismo. Puede ser que vayan al mismo restaurante el mismo día, a la misma hora, pero no tendrán la misma conversación. ¿Por qué? Porque distintas cosas han transcurrido en sus vidas y en su interior y su relación enfrenta nuevas oportunidades y desafíos. El amor es dinámico.

La oración también refleja intimidad. La intimidad es la mutua revelación de uno mismo. Al hablar con Dios de nuestros temores y fracasos, de nuestras esperanzas y sueños más profundos, forjamos una increíble intimidad con él. Esta no es una iniciativa humana. Dios nos busca primero. Todo en la vida es una respuesta a su invitación. Él desea intimidad, entonces desde el principio, todo lo que él ha hecho y dicho ha sido revelarse ante nosotros. La intimidad es dinámica.

El amor, la intimidad y la oración son profundamente personales. Cada uno de ellos nos inspira y provoca de muchas maneras, que en última instancia nos llevan a amar más y nos hacen desear de todo corazón ser mejores personas. Esto se manifiesta en nuestra vida diaria de diversas formas, pero consideremos una de ellas. Si le preguntas a alguien que está profundamente enamorado: «¿Cuándo piensas en ella?» diría que todo el tiempo. No es cierto. No es que ha mentido adrede, sino que tiene una impresión equivocada. La verdad es que él piensa en ella entre una y otra cosa, en esos breves espacios vacíos. Cuando está absorto en su trabajo o en cualquier otra actividad, está enfocado, pensando en lo que está haciendo... no en su amada. Pero cuando se da un receso o se distrae por un momento, su mente va primero a su amada. La persona que ama llena cada uno de esos espacios de su día con su ser amado y espera que este pueda llenar cada espacio en su vida de igual forma.

El amor llena los espacios. Nuestra conversación con Dios debería ser constante a lo largo del día. Al madurar espiritualmente nos encontramos hablando con Dios sobre asuntos de trabajo y del hogar y hablando con él durante los diversos espacios de nuestro día. Aun si pasamos esos espacios pensando en quien amamos, le hablamos a Dios sobre esa persona y nuestro amor por ella.

Un aspecto realmente negativo que los teléfonos inteligentes han traído al mundo es que nos roban esos espacios vacíos. La mayoría de la gente acude a su teléfono tan pronto la vida le presenta cualquier oportunidad, cualquier instante que vagamente se parezca a un espacio vacío. En un semáforo, en la fila del supermercado, en los restaurantes —la gente está obsesionada con sus dispositivos. Caminando por la calle, en la sala de espera del consultorio médico —prácticamente adondequiera que vayamos la gente está adherida a sus teléfonos.

Nos hemos convertido en personas del dispositivo. Nos roba a lo largo del día incontables oportunidades de dirigirnos a Dios y tener una conversación breve e informal. Aniquila la intimidad y la conexión. Nos roba la habilidad de darnos los unos a otros total atención. El dispositivo destruye la escucha profunda. Evita que veamos profundamente a los ojos de alguien y que escuchemos realmente lo que está diciéndonos. Estamos llamados a convertirnos en personas de oración, no en personas de dispositivos.

La oración nos invita a una intimidad aún más profunda con Dios, y en esa intimidad aprendemos a comunicarnos a un nivel íntimo con los demás. La oración es mirar profundamente a los ojos de Dios y darle nuestra total atención.

DE MUCHAS MANERAS

Rezar el rosario implica más que simplemente decir oraciones. Cualquier persona puede rezar el rosario; simplemente enséñale las palabras y podrá repetirlas. Pero la oración auténtica requiere actitud contemplativa e intencionalidad: una actitud contemplativa para estar presente, haciendo todo lo que está a nuestro alcance para dejar de lado las distracciones de nuestra vida, y la intencionalidad de alinear nuestra voluntad con la de Dios, para tener claridad con respecto a una decisión que debamos tomar, para reconocer un favor de Dios, para perdonar, para tener la libertad que necesitamos en un área de nuestra vida donde nos sentimos atrapados, o para muchas otras intenciones que podemos presentar en cualquier experiencia de oración. El punto es que el rosario no es mágico. No es un trato que hacemos con Dios. Múltiples rosarios rezados de forma mecánica no equivalen a una sola oración contestada por Dios.

La oración no cambia a Dios; la oración nos cambia a nosotros. No se trata de convencerlo a él de hacer nuestra voluntad; se trata de rendirnos a la de él. Es mucho más gratificante abordar la oración buscando entender a Dios, en lugar de buscar un favor. Si nos acercamos a la oración con la esperanza de crecer en virtud y buscando genuinamente su voluntad, nunca nos sentiremos defraudados.

Hay muchas maneras de rezar el rosario; la misma oración puede ser abordada de diversas formas. La primera y la más obvia es enfocarse en las palabras, las cuales están profundamente enraizadas en las Escrituras y la tradición cristiana. El padrenuestro nos fue obviamente dado por Jesús mismo (cfr. Mt 6,9-13). El credo representa la primera expresión de convicción cristiana. La primera parte del avemaría viene del mensaje pronunciado por el ángel a María en Nazaret: «Salve, llena de gracia. El Señor es contigo» (Lc 1,28). A este saludo le siguen las palabras pronunciadas por Isabel al saludar a María durante su visita: «Bendita tú entre las mujeres y bendito el fruto de tu vientre» (Lc 1,42). El gloria es la expresión más simple de alabanza cristiana y de fe en el Dios Trino. Y desde los tiempos antiguos, los cristianos se han puesto bajo el nombre de Dios y el signo de la redención, dando por tanto origen a la señal de la cruz.

En ocasiones puedes optar por centrarte en las palabras. Si puedo sugerirte algo, céntrate en una palabra o en una frase. Cada palabra y cada frase encierra un significado tan profundo, que te encontrarás constantemente disperso. El enfocarse en una sola palabra o frase canalizará tu atención. Es probable que no elimines del todo las distracciones, pero te permitirá profundizar.

Por ejemplo, podrías optar por enfocarte hoy en la frase *llena de gracia*. Mañana puedes tener especial necesidad de perdón, entonces puedes escoger centrarte en *ruega por nosotros pecadores*. Puede ser que otro día te enfoques simplemente en la palabra *con* de la frase *el Señor está contigo*, y reflexiones en lo significa estar con el Señor. Es sorprendente cuán profunda puede ser una meditación centrada simplemente en la palabra *con*. ¿Qué quiere decir estar con el Señor?

Las palabras del rosario son impactantes y su significado tiene diversas dimensiones, pero así sucede también con los misterios que usamos como escenario en cada década. Posiblemente hay momentos en tu vida en los que te encuentras tan abrumado y disperso que no necesitas de otra palabra en tu día. En esas ocasiones puedes optar por meditar los misterios. Simplemente permite que las palabras floten subconscientemente. Piérdete en la escena. Imagínate que estás ahí, al lado de Jesús. Ocupa un lugar en la escena, no como una mosca en la pared, sino como una persona en particular, para que puedas compenetrarte en la situación y explorar qué podrías haber estado pensando o sintiendo si hubieras estado ahí.

En la segunda parte, las reflexiones se enfocarán en esta perspectiva de situarnos en el lugar de la escena. Pero, ya sea que decidas centrarte en las palabras, meditar los misterios, o algún otro método, hay algo que es cierto: tu mente no puede hacer dos cosas a la vez. Y es aquí en donde muchos se desaniman con el rezo del rosario. Tratan de rezar las palabras y meditar el misterio al mismo tiempo. ¡Eso es imposible! Debemos escoger uno. Tu mente fue creada para enfocarse en una sola cosa a la vez. En último término fue creada para enfocarse en Dios. Cuando tratamos de enfocarnos en más de una cosa al mismo tiempo nuestra mente va de una cosa a otra sucesivamente, con frecuencia a un ritmo vertiginoso. Aunque pueda parecer que estamos pensando en las dos cosas a la vez, es una falsa impresión. La mente solo puede enfocarse en una sola cosa a la vez. El tratar de enfocarse en más probablemente hará del rosario un ejercicio agotador.

Cuando optes por centrarte en las palabras, puede ser que te ayude dedicar unos minutos a meditar el misterio antes de cada década. Al mismo tiempo es primordial recordar que el rosario no es solo un ejercicio mental. La disposición del corazón es lo más importante. Pon tu corazón en la presencia amorosa de María. Deja que te consuele, que te ame. Tu mente seguirá a tu corazón. Es posible que al rezar el rosario, nos parezcamos mucho a Marta (cfr. Lc 10,38-42). Es fácil caer en la trampa de esforzarnos tanto en hacerlo todo bien que nos perdemos la paz que Jesús y María quieren derramar en nuestro corazón durante el rosario.

También encuentro muy fructífero ofrecer cada década por una persona o intención especial. Hay tantas personas y situaciones por las que quiero orar y tantas personas que me piden que ore por ellas. El ofrecer cada década por una persona o una situación en particular me ayuda a permanecer enfocado.

Otra forma de rezar el rosario es con las Escrituras. En el capítulo 10 he incluido una muestra de un rosario bíblico, el cual simplemente consiste en leer o reflexionar sobre una línea de las Escrituras antes de cada avemaría.

El otro aspecto del cual debemos ser conscientes al abordar un ejercicio espiritual tan extenso como el rosario es que las distracciones son inevitables. Si comenzaras a rezar el rosario y te devolvieras para empezar de nuevo desde el principio cada vez que te distraes, nunca lo terminarías.

Las distracciones son una parte inevitable e ineludible de la oración. Hay cosas que puedes hacer para minimizarlas, pero no puedes eliminarlas del todo. Algunos días te distraerás menos que otros —resiste la tentación de equiparar eso con una buena oración. Habrá otros días cuando parece que lo único que has hecho durante todo el tiempo es pasar distraído. No lo equipares con una mala oración.

¿Son las distracciones buenas o malas? Ni uno ni otro. Como pasa con muchas cosas, son neutras hasta que tenemos que ver con ellas. La forma en que respondemos a la distracción puede ser buena o mala, pero no la distracción en sí misma. Primero que todo, no puedes hacer nada respecto a la distracción hasta que te percatas de que estás distraído. Una vez que te das cuenta de ello, tienes una oportunidad en tus manos. ¿Qué harás? ¿Perderte en la distracción o retomar la oración?

¿Qué es más beneficioso para ti, diez lagartijas o cien? Cien. ¿Por qué? Cada flexión fortalece tus músculos. Cada distracción es una oportunidad para fortalecer tus músculos espirituales. Te percatas de que estás distraído, retornas a la oración, ¿y qué pasa en ese momento? Escoges a Dios sobre la distracción, arrancas tu mente y posiblemente tu corazón de la distracción y los alineas con Dios. Esa es una lagartija espiritual.

Podría continuar reflexionando sobre esto durante las cien páginas siguientes, pero aprendemos a rezar mejor rezando. Para ofrecer una última idea, muy práctica, permíteme decirte lo siguiente: no corras. Tendemos a correr en el rezo del rosario. Tómate tu tiempo. El hacerlo apurado te arrebatará los frutos, especialmente la paz a la que me he referido tanto. No es una carrera. Preferiría decirte que rezaras tres décadas despacio y reflexivamente que quince décadas a una velocidad asombrosa.

A menudo la gente me pregunta respecto a la frecuencia con que deberían rezar el rosario o la frecuencia con que yo lo rezo. Quizás estas no son las preguntas correctas. Prefiero esta pregunta: ¿cómo consigo estar tan fascinado con el rosario que anhele rezarlo constantemente y tenga que forzarme a dejarlo? Pero somos humanos, y estamos constantemente pidiéndole a Dios y a otros que definan un límite en cuanto a lo que tenemos que dar, amar, hacer y ser. Nos encantan las reglas por muchas razones equivocadas. Dentro del contexto de las reglas, ideamos formas de hacer lo que queremos y aun así satisfacer las exigencias de Dios. Esta forma de pensar nace de una mentalidad minimalista profundamente arraigada. ¿Qué es lo mínimo que puedo hacer? Pero el que ama no hace esa pregunta. Esta pregunta ofende al que ama. Y ciertamente no fue la pregunta que Jesús se planteó al hacer su peregrinaje aquí en este mundo. Jesús no recorrió la tierra pensando: «Qué es lo mínimo que puedo hacer y aún salvar a estos miserables?». Jesús, la personificación del que ama, se preguntó: «Qué es lo máximo que puedo hacer?».

No sé con qué frecuencia deberías rezar el rosario. Algunos consideran que todas las personas deberían rezar el rosario a diario. En mi propia vida, ha habido meses, y aun años en que he rezado el rosario todos los días. En otros momentos he pasado semanas y meses sin rezarlo. Generalmente descubro que cuando dispongo del tiempo para esta simple pero profunda práctica de oración, soy una mejor persona. Cuando tengo la disciplina de rezar el rosario regularmente, parezco tener una cierta calma y una conciencia acentuada, lo que me hace tener una mejor disposición para vivir una vida de virtud.

No siento que necesitemos debatir si cada católico debería rezar el rosario todos los días. Sin embargo, sí creo que todos los católicos deberían estar dispuestos a sacar el rosario de su bodega espiritual y darle otro lugar cada vez que el espíritu los mueva a hacerlo.

Nuestra vida espiritual debe ser dinámica y nuestro amor incesante. De esa forma puede expresarse de diversas maneras en distintos momentos. Así sucede también con la oración. Aprender a dejarte guiar por el Espíritu al tipo de oración que te beneficiará más durante una etapa particular de tu vida. No es el tipo de oración que «tienes ganas» de hacer, sino el tipo de oración que te será de mayor provecho ese día, esa semana, ese mes, año, o década, dependiendo de lo que acontece en tu vida, de la disposición de tu alma y de la gran obra que Dios trata de hacer en ti y a través de ti.

HACIA LA PROFUNDIDAD DE TU SER

Me cautiva una frase sobre María en el Evangelio de Lucas. María y José han llevado a Jesús al templo para el rito oficial, la presentación del niño a Dios. Estaba en el templo ese día un hombre llamado Simeón. Casi siempre estaba ahí, según parece. Era un hombre santo, o un profeta, o un místico, quizás los tres. Clamó en oración, alabando al niño como Mesías y glorificando a Dios por permitirle vivir lo suficiente para ser testigo de su llegada. Luego habló con María sobre lo que su hijo iba a hacer, lo que le iba a suceder y cómo eso le impactaría a ella. Después de que el Evangelio volviera a narrar esta historia, leemos esta simple y bella línea: «Pero María atesoró todas estas palabras, meditándolas en su corazón» (Lc 2,19).

Siempre me he preguntado, ¿qué tanto sabía María? ¿Y cuándo lo supo? Cuando el ángel Gabriel se le apareció, ¿le habrá infundido Dios con una visión plena de la vida de Jesús? ¿Fueron esos nueve meses en que Jesús estaba en su vientre como una intensa universidad mística? ¿Sabía ella lo que se avecinaba? ¿Sabía ella que su hijo era el elegido? ¿O tuvo que ver su vida desenvolverse como todos?

María meditó las palabras de Simeón en su corazón. ¿Cuándo fue la última vez que atesoraste unas palabras? ¿Cuándo fue la última vez que meditaste en lo profundo de tu corazón algo que te sucedió?

Nuestra cultura es intensa en habladurías. Vivimos en la era de la obsesión por las redes sociales; por tanto, tenemos la tentación de soltar al instante cada cosa que sucede y que pensamos. ¿Es esta otra forma de chisme? Si la gente pudiera difundir los acontecimientos antes de que sucedieran, lo haría. Hay muchos que no pueden esperar publicar en las redes sociales todos los detalles de su vida. Esto conduce a relaciones superficiales, lo que a su vez nos lleva a vivir una vida superficial.

¿Eres capaz de saber algo y no contarlo a otros? ¿Eres capaz de conservar algunas de tus experiencias y meditarlas en tu corazón?

Toda oración es una invitación a la reflexión. Esto es especialmente cierto en el caso del rosario, pues nos lleva muy naturalmente a la meditación.

• • • • • • •

Cuando tenía trece años, el papa Juan Pablo II visitó Australia. Mi papá me llevó a la misa papal. Era al aire libre, ante una multitud. Estábamos muy lejos del papa, pero había pantallas gigantes que nos permitían ver claramente lo que acontecía.

Después de la comunión el papa se arrodilló en un reclinatorio que estaba directamente al frente del altar. Lo vi arrodillarse y cerrar sus ojos, y aun en mi adolescencia supe que estaba en presencia de un maestro espiritual. No habría usado esas palabras entonces, pero creo que esa fue la primera vez que vi a alguien orar de verdad. Se arrodilló, cerró sus ojos, y aun con mi limitado desarrollo espiritual me era claro que iba a un sitio profundo. Y quiero decir profundo, profundo, profundo. No lo ves con mucha frecuencia. Los domingos cuando las personas regresan a su banco, raramente ves a alguien absorto en oración.

Me tomó un par de años para tomar el asunto con la debida seriedad, pero emprendí la búsqueda de ese sitio profundo dentro de mí. Ha sido la mayor aventura de mi vida. Ojalá pudiera revivir aquellos primeros días de nuevo, pero como tantas otras cosas, nada se compara a la primera vez que descubra que la profunda contemplación es posible incluso para ti.

Esto es lo que me gustaría decirte por encima de todo: encuentra ese lugar profundo dentro de ti. Pasar toda tu vida sin encontrarlo es una verdadera tragedia. Y encontrar ese sitio y no pasar un tiempo ahí cada día sería absurdo.

Encuentra ese sitio profundo en ti y empieza a vivir tu vida desde allí. Pasa tiempo ahí con el Señor, cada día. Permítele mostrarte quién eres realmente, para qué estás aquí, qué es lo que más importa, y qué importa menos. Toma las decisiones de tu vida en ese sitio profundo según lo que Dios te haya enseñado allí. Encuentra ese sitio profundo donde puedas conectarte con Dios y con tu mejor versión, un lugar donde puedas descansar con Dios para luego ir con ímpetu al mundo llevando a cabo la misión que ha puesto en tu corazón.

Rechaza lo superficial. Aprende a reflexionar. Aprende a pensar a fondo.

Nuestro mundo se ha vuelto frívolo, superficial e irreflexivo. En medio de todo esto, Dios nos invita a vivir una vida de contemplación, nos invita a pensar, y a pensar a fondo, sobre las cosas que hemos tratado, pero también sobre las cosas ordinarias de cada día. Ten presente que no debes permitir que tu contemplación te lleve al aislamiento. Toda experiencia auténtica nos debe conducir a una relación más y más profunda con Dios, pero también con los otros.

El mundo necesita hombres y mujeres valientes que emprendan la búsqueda de ese sitio profundo, donde puedan experimentar unión con Dios y vivir una vida desde un lugar místico. El rosario te ayudará a encontrar ese sitio y es una opción maravillosa para pasar ahí el tiempo con Dios.

No temas navegar en las aguas profundas. Solamente en las aguas profundas logramos la buena pesca (cfr. Lc 5,6) que anhelamos desde el momento en que nacemos.

Algo de profundidad en este mundo tan superficial es bueno para nuestra alma.

LA CARENCIA DE ORACIÓN: EL GRAN PROBLEMA DE NUESTRA ERA

La carencia de oración es uno de los grandes tormentos de los tiempos modernos. Por décadas, a medida que nuestra vida se ha ido tornando más compleja y agitada, el tiempo que pasamos centrados en oración ha ido disminuyendo sustancialmente. Hemos caído en la tiranía de lo urgente, que demanda que corramos de una cosa urgente a la siguiente. El problema con esto es que las cosas más importantes casi nunca son urgentes. Esto nos puede dejar haciendo siempre lo que es urgente sin hacer nunca lo importante. Aquello que es más importante no lo llegamos a alcanzar en este ciclo. La oración es una de esas cosas importantes y entre las de mayor prioridad. La oración nos ayuda a identificar lo que importa más y fortalece nuestro corazón y nuestra mente para darle la prioridad correspondiente en nuestra vida diaria. ¿Qué puede ser entonces más importante que la oración?

La ausencia de oración distorsiona también al ser humano. Sin oración, conforme pasa el tiempo olvidamos las actitudes y los rasgos que son exclusivamente humanos (compasión, generosidad, humildad, fortaleza), y nos volvemos más y más como meros animales.

La oración nos permite dar un vistazo a la mejor versión de nosotros mismos y nos ayuda a desarrollar la virtud necesaria para celebrar lo mejor de nosotros. Si ves las noticias hoy por la noche, descubrirás que el mundo necesita desesperadamente hombres y mujeres de virtud y de oración. La gente de tu barrio necesita tu oración, tu parroquia necesita tu oración, y tus colegas necesitan tu oración. Y es a veces dolorosamente obvio que la iglesia católica tiene una apremiante necesidad de oración.

La oración personal es esencial en la vida cristiana, pero también lo es la oración comunitaria. He tratado de vivir la vida por mi cuenta sin Dios y sin oración, y he llegado a la conclusión de que preferiría caminar sobre carbones incandescentes cada mañana que vivir sin oración. La oración personal es la profundización de nuestra relación con Dios, descubriendo quién te está llamando a ser para él y para los demás. La oración litúrgica de la misa dominical es la oración de toda la Iglesia reunida que proclama públicamente nuestra identidad como católicos. Lo que llevas a misa los domingos es tu vida de oración, y entre más profunda es, más profundamente puedes compenetrarte en la expresión comunitaria de fe de la Iglesia. La misa no gira simplemente en torno a ti; es toda la Iglesia reunida como un signo de esperanza en el mundo. Una comunidad en oración es algo profundamente bello.

El proyecto de investigación que exploró lo que lleva a los católicos a un alto grado de compromiso dio origen a *Los cuatro signos de un católico dinámico*. El primer signo de un católico dinámico es la oración. Los católicos dinámicos son sobre todo y ante todo hombres y mujeres de oración, como lo fueron los santos. ¿Basta con solo rezar? No. Se nos ha confiado la misión de transformar el mundo. Pero la mejor acción brota de una vibrante vida de oración. Nuestros esfuerzos para transformar la sociedad en una fundamentada en el amor y en la justicia debe estar profundamente arraigados en nuestro cristianismo, y, por tanto, profundamente arraigados en la oración. De otra manera, nuestros esfuerzos cristianos con un fin social pueden verse desligados de nuestro cristianismo, reduciéndolos rápidamente a solo otra forma de trabajo social. No me malinterpretes, el trabajo social es bueno, pero estamos llamados a algo más.

Te aliento a empezar (o a renovar) hoy tu compromiso de llevar una vida de oración. Usa el rosario y el proceso de oración como modelos. Si lo haces confío en que los considerarás como guías fieles que te conducen a una amistad profunda con Dios durante toda tu vida. ¿Qué vas a hacer en esta vida que te pueda traer más satisfacción que desarrollar una amistad dinámica con Dios?

Uno de los momentos más maravillosos en la vida de todo cristiano acontece al darnos cuenta de una vez por todas que una vida iluminada por la oración es mejor que una vida carente de ella y que para que así sea, debemos darle un lugar sagrado en nuestra agenda diaria.

PARTE
DOS

Las siguientes reflexiones fueron escritas para ser usadas al inicio de cada década del rezo del rosario. Si bien recomiendo que las leas ahora, te animo a que, mientras lo haces, tengas presente su propósito. Espero que las vuelvas a usar para acompañar tu oración cuando reces el rosario. Espero que te lleven a profundizar en los eventos de la vida de Jesús y de María que meditamos cada vez que rezamos el rosario.

Estoy también grabando una versión de audio de estas reflexiones para que tú y yo podamos rezar el rosario juntos; mientras manejas al trabajo, te ejercitas o te sientas tranquilamente en tu lugar preferido para orar. Orar con alguien es algo bello. Es una de las experiencias más bellas de la vida.

Estamos llamados a tener una relación personal e intensa con Dios, pero también estamos llamados a forjar relaciones personales e intensas entre nosotros. Hay una fuerza especial que brota al rezar con otras personas. Fue rezando el rosario en un grupo de oración que por primera vez lo experimenté intensamente.

En el pasado las familias acostumbraban rezar el rosario después de cenar. Tal vez esta es una tradición que valdría la pena volver a practicar. ¿Alguna vez has rezado el rosario con tu cónyuge? ¿Si tienes hijos, alguna vez has rezado el rosario con uno de ellos? ¿Alguna vez has rezado el rosario con un amigo?

A mí me encanta orar con otros. Entonces, independientemente si obtienes la versión de audio o no, estaré orando contigo en espíritu.

Por favor ora por mí. En serio te lo pido. No es algo infundado. Por favor ora por mí. Que tu experiencia del rosario sea siempre fresca, nunca árida y que experimentes sin cesar su poder transformante en tu vida.

m.

LOS VEINTE MISTERIOS DEL ROSARIO

Los cinco misterios gozosos

La anunciación
La visitación
El nacimiento de Jesús
La presentación
La pérdida y hallazgo del Niño Jesús en el templo

Los cinco misterios luminosos

El bautismo de Jesús en el río Jordán
Las bodas de Caná
La proclamación del reino de Dios
La transfiguración de Jesús
La institución de la Eucaristía

Los cinco misterios dolorosos

La agonía en el huerto de Getsemaní
La flagelación del Señor
La coronación de espinas
El camino al calvario cargando la cruz
La crucifixión de Jesús

Los cinco misterios gloriosos

La resurrección
La ascensión
La venida del Espíritu Santo
La asunción
La coronación de la Virgen María

Los misterios gozosos típicamente se rezan los lunes y los sábados, los misterios luminosos los jueves, los misterios dolorosos los martes y viernes y los misterios gloriosos los miércoles y los domingos.

Los misterios gozosos

La anunciación

Fruto del misterio: El deseo de hacer la voluntad de Dios

La visitación

Fruto del misterio: El servicio humilde a los otros

El nacimiento de Jesús

Fruto del misterio: Gratitud por la vida

La presentación

Fruto del misterio: La escucha atenta

La pérdida y hallazgo del Niño Jesús en el templo

Fruto del misterio: La sabiduría

EL PRIMER MISTERIO GOZOSO

La anunciación

Fruto del misterio: El deseo de hacer la voluntad de Dios

Lectura del Evangelio según san Lucas

Anuncio del nacimiento de Jesús

Al sexto mes, envió Dios al ángel Gabriel a una ciudad de Galilea llamada Nazaret, a una joven desposada con un hombre llamado José, de la descendencia de David; el nombre de la joven era María. El ángel entró donde estaba María y le dijo:

—Dios te salve, llena de gracia, el Señor está contigo.

Al oír estas palabras, ella quedó desconcertada y se preguntaba qué significaba tal saludo. El ángel le dijo:

—No temas, María, pues Dios te ha concedido su favor. Concebirás y darás a luz un hijo, al que pondrás por nombre Jesús. Él será grande, será llamado Hijo del Altísimo; el Señor Dios le dará el trono de David, su padre, reinará sobre la descendencia de Jacob por siempre y su reino no tendrá fin.

María dijo al ángel:

—¿Cómo será esto, pues no tengo relaciones con ningún hombre?

El ángel le contestó:

—El Espíritu Santo vendrá sobre ti y el poder del Altísimo te cubrirá con su sombra; por eso, el que va a nacer será santo y se llamará Hijo de Dios. Mira, tu pariente Isabel también ha concebido un hijo en su vejez, y ya está de seis meses la que todos tenían por estéril; porque para Dios nada hay imposible.

María dijo:

—Aquí está la esclava del Señor, que me suceda como tú dices. Y el ángel la dejó.

Luke 1:26–38

REFLEXIÓN

Sí, al final todo se reduce a eso. ¿Estás dispuesto a decirle sí a Dios? Hay algunas frases bellas en la Escritura que resumen todo esto. En el cuarto de mis niños hay un cuadro colgado en la pared. Es el arca de Noé y en el marco de madera están inscritas las siguientes palabras: «Noé hizo todo lo que Dios le pidió» (Gn 7,5). Eso es. Simplemente haz lo que Dios te pide hacer. En las bodas de Caná, María dijo a los que estaban sirviendo: «Hagan lo que él les diga» (Jn 2,5). Dile sí a Dios en todo.

Un momento a la vez, estamos todos llamados a acoger su voluntad. Es monumentalmente simple y monumentalmente difícil. Pero encontramos formas de complicarlo y evadirlo.

¿Por qué no buscamos apasionadamente la voluntad de Dios? A menudo me encuentro diciéndole sí a Dios a regañadientes. No es un sí generoso. Lo sé y Dios lo sabe.

Al pensar en María siento vergüenza de mí mismo. Sus humildes palabras reflejan su entrega y sumisión: «Que se haga en mí según tu palabra». Esta frase ha hecho eco a través de la historia, comprendiendo dentro de sí misma toda una espiritualidad: busca y haz lo que crees que es la voluntad de Dios.

Debemos ser personas que sabemos decir sí, contestando afirmativamente a cada llamada de Dios. No obstante, no puedo evitar pensar en aquellos momentos en que a sabiendas, le he dicho que no a Dios. Esto me remuerde. Aun así sé que María me tomaría en sus brazos, me abrazaría, me alentaría, y me enviaría al mundo renovado e inspirado.

Comencemos de nuevo, ahora mismo —un nuevo inicio, un compromiso renovado de decirle sí a Dios. Que estas palabras nunca estén lejos de nuestros labios: «Dios, ¿qué piensas que debería hacer en esta situación?».

ORACIÓN

Con estas inspiraciones en nuestra mente y en nuestro corazón, nos dirigimos a ti, Jesús, en oración.

Señor de todo sí, danos sabiduría para que con generosidad digamos sí a tu camino en cada momento del día, danos el coraje necesario para dar nuestra espalda a todo aquello que no viene de ti, sin importar cuán atractivo parezca a nuestros sentidos o a nuestro ego.

Tú puedes dar y puedes quitar. Toma de nosotros el deseo de todo lo que no nos ayude a convertirnos en la mejor persona que podemos ser y danos el deseo de hacer tu voluntad en todo. Danos tu gracia para decirte sí en lo grande y en lo pequeño, de maneras conocidas y de formas nuevas.

Jesús, te ofrecemos esta década por nuestra familia, por los miembros que viven y los que han partido, dondequiera que se encuentren hoy, física y espiritualmente. Te pedimos que los llenes con la gracia necesaria para dar hoy un paso que los acerque a ti. También pedimos de forma especial por cada mujer que hoy se dio cuenta de que estaba embarazada, y te pedimos que la bendigas con tu paz y tu esperanza.

María, ruega por nosotros y enséñanos a decir sí a Dios en todas las cosas.

Amén.

EL SEGUNDO MISTERIO GOZOSO

La visitación

Fruto del misterio: El servicio humilde a los otros

Lectura del Evangelio según san Lucas

María visita a Isabel

Por aquellos días, María se puso en camino y fue de prisa a la montaña, a una ciudad de Judá. Entró en casa de Zacarías y saludó a Isabel. Y cuando Isabel oyó el saludo de María, el niño saltó en su vientre. Entonces Isabel, llena del Espíritu Santo, exclamó a grandes voces:

—Bendita tú entre todas las mujeres y bendito es el fruto de tu vientre. Pero ¿cómo es posible que la madre de mi Señor venga a visitarme? Porque en cuanto oí tu saludo, el niño saltó de alegría en mi vientre. ¡Dichosa tú que has creído! Porque lo que te ha dicho el Señor se cumplirá.

Entonces María dijo:

—Mi alma glorifica al Señor, y mi espíritu se alegra en Dios mi Salvador, porque ha mirado la humillación de su sierva. Desde ahora me llamarán dichosa todas las generaciones, porque ha hecho en mí cosas grandes el Poderoso. Su nombre es santo, y su misericordia es eterna con aquellos que le honran. Actuó con la fuerza de su brazo y dispersó a los de corazón soberbio. Derribó de sus tronos a los poderosos y engrandeció a los humildes. Colmó de bienes a los hambrientos y a los ricos despidió sin nada. Tomó de la mano a Israel, su siervo, acordándose de su misericordia, como lo había prometido a nuestros antepasados, en favor de Abraham y de sus descendientes para siempre.

María estuvo con Isabel unos tres meses y después regresó a su casa.

Lucas 1,39-56

REFLEXIÓN

¿Cuándo fue la última vez que respondiste a tu cónyuge, padres o clientes «a toda prisa»? Cuando tu cónyuge te pidió un favor o cuando tu jefe en el trabajo te pidió algo extra, ¿respondiste con entusiasmo de servir? Vivimos en la era del sinsentido, porque hemos perdido de vista el hecho de que nuestro verdadero propósito es servirle a Dios y a los demás.

María se apresuró a servirle a Isabel. Fue su primera reacción. Con frecuencia mi primera reacción es egoísta: «No me siento para hacer eso. Lo haré más tarde. ¿Puede alguien más encargarse de eso?». Pero a María le era natural servir; su humildad era parte de ella.

Dios quiere llenarnos con un santo sentido de urgencia. Cada día la gente pierde la esperanza. Les parece que Dios está distante. Se sienten olvidados, invisibles y carentes de amor. ¡Hay tanto en juego! María quiere enseñarnos a amar a Dios y a los demás con este santo sentido de urgencia.

Es hora de esforzarnos de nuevo en reconocer a Dios y la invitación que nos hace de servir en los momentos ordinarios de la vida. Las Escrituras nos relatan que cuando María saludó a Isabel, su hijo Juan el Bautista salta de alegría en su vientre. Ya en el vientre, Juan el Bautista reconocía que estaba en presencia de Dios. Con gran frecuencia me quedo atrapado en los pensamientos sobre mis propias necesidades o deseos y olvido completamente que Dios está presente en una determinada situación o persona.

Existe una relación entre este pasaje bíblico y el pasaje del Antiguo Testamento en que David danza de gozo ante el arca de la alianza. Para los judíos el arca de la alianza representa la presencia de Dios entre ellos. Así como David bailó de gozo en la presencia de Dios, vemos ahora a Juan el Bautista danzando de gozo en la presencia de Dios. En ese momento María era un tabernáculo humano haciendo a Dios presente ante Isabel y Juan el Bautista; y su increíble conciencia los hizo reconocer esta deslumbrante verdad.

Hemos perdido nuestros sentidos. Realmente hemos perdido nuestros sentidos espirituales. Han perdido su brillo y se han ahogado en el caos de nuestra vida. Pidámosle a Dios que le dé una nueva vida y un nuevo esplendor a nuestros sentidos espirituales para que podamos reconocerle en cada momento y danzar de gozo.

ORACIÓN

Con estas inspiraciones en nuestra mente y en nuestra corazón, nos dirigimos a ti, Jesús, en oración.

Señor, llénanos de un santo sentido de urgencia. Enséñanos a no postergar una oportunidad de compartir nuestro amor con los demás. Despójanos de toda complacencia, pereza y egoísmo que se interpongan en el camino de servirte intensamente.

Inspira en nosotros el amor al servicio. Abre nuestros ojos y permítenos vernos empeñándonos santamente en servir a los demás. Desecha nuestros deseos egoístas de ser servidos y sustitúyelos con hambre de redescubrir el significado y el propósito de nuestras vidas poniendo a los otros primero que yo.

Jesús, te ofrezco esta década del rosario a ti y a tu madre por nuestros amigos, los de antes, los de ahora y los futuros. Renuévalos con el verdadero espíritu de la amistad. Te pedimos por los amigos que nos muestran su amor y nos alientan hoy y los amigos de otros momentos y lugares en nuestra vida con quienes hemos perdido contacto. Te pedimos con humildad que nuestra oración les dé el coraje para dar hoy un paso que los acerque a ti. Te pedimos de forma especial por los que hoy se encuentran solos y ansiosos de que alguien los visite.

María, ruega por nosotros y enséñanos a reconocer la obra de Dios en nuestras vidas.

Amén.

EL TERCER MISTERIO GOZOSO

El nacimiento de Jesús

Fruto del misterio: La gratitud por la vida

Lectura del Evangelio según san Lucas

El nacimiento de Jesús
En aquellos días el emperador César Augusto promulgó un decreto ordenando que se hiciera el censo de los habitantes del imperio. Todos iban a inscribirse a su ciudad de origen. También José por ser de la descendencia y familia de David, subió desde Galilea, desde la ciudad de Nazaret, a Judea, a la ciudad de David que se llama Belén, para inscribirse con María, su esposa, que estaba encinta. Mientras estaban en Belén le llegó a María el tiempo del parto, y dio a luz a su hijo primogénito, lo envolvió en pañales y lo acostó en un pesebre, porque no había sitio para ellos en la posada.

Había en aquellos campos unos pastores que pasaban la noche en pleno campo cuidando sus rebaños por turnos. Un ángel del Señor se les presentó, y la gloria del Señor los envolvió con su luz. Entonces sintieron mucho miedo, pero el ángel les dijo:

—No teman, pues les anuncio una gran alegría, que lo será para ustedes y para todo el pueblo: les ha nacido hoy en la ciudad de David, un Salvador, que es el Mesías, el Señor. Esto les servirá de señal: encontrarán un niño envuelto en pañales y acostado en un pesebre.

Y de repente se reunieron con el ángel muchos otros ángeles del cielo, que alaban a Dios diciendo: «¡Gloria a Dios en las alturas y en la tierra paz a los hombres que gozan de su amor!».

Cuando los ángeles regresaron al cielo, los pastores se decían unos a otros:

—Vamos a Belén a ver eso que ha sucedido y que el Señor nos ha anunciado.

Fueron de prisa y encontraron a María, a José y al niño acostado en un pesebre. Al verlo contaron lo que el ángel les había dicho de este niño. Y cuantos escuchaban lo que decían los pastores, se quedaban admirados. María, por su parte, conservaba todos estos recuerdos y los meditaba en su corazón. Los pastores regresaron glorificando y alabando a Dios porque todo lo que habían visto y oído era tal como les habían dicho.

Lucas 2,1-20

REFLEXIÓN

Me encanta la Navidad. Las personas son distintas en esta época. Parece haber un mayor espíritu de buena voluntad en el mundo. Yo soy diferente. Trato de mantener el espíritu navideño vivo todo el año, pero fallo una y otra vez.

Ejercitemos nuestros sentidos espirituales e imaginemos que hoy es la noche en que nace Jesús. Sitúate en Belén en esa noche sagrada. El bebé Jesús yace ahí en el pesebre al lado de María y de José.

Imaginaré que soy uno de los pastores. ¿Como quién te imaginas? Estás todavía más ansioso por estar con Jesús —eres uno de los reyes magos. Has seguido la estrella a través de la faz de la tierra solo para tener unos escasos momentos con Jesús. Hay una paz y un gozo que son inalcanzables mediante las cosas de este mundo, y los encontramos aquí con María, José y el niño Jesús. Pasamos un rato con la Sagrada Familia. El tiempo se detiene. ¿Hemos estado aquí por un breve momento o han pasado horas? ¿Cómo estar en su presencia y no sentirse transformado?

Al partir caemos en cuenta. El mundo es un caos: guerras, pobreza, corrupción, avaricia, egoísmo, violencia, abuso e injusticia. La faz del demonio atormenta a la gente ordinaria todos los días. Y Dios decidió situarse en medio de este caos.

Muchas veces tratamos de esquivar los embrollos de los demás. Nos decimos: «Ese es tu enredo. Tú lo hiciste, tú lo debes arreglar». Justificamos nuestra posición: «La gente tiene que aprender...» La actitud de Dios es completamente opuesta. Él se coloca en medio de nuestros problemas como la solución. No lo merecemos. No tenemos ese derecho. Dios nos da una nueva oportunidad, un nuevo inicio, libremente y sin ningún mérito.

ORACIÓN

Con estas inspiraciones en nuestra mente y en nuestro corazón, nos dirigimos a ti, Jesús, en oración.

Señor, ayúdanos a ser siempre conscientes de que la vida es preciada. Libéranos de los hábitos improductivos que nos llevan a malgastar el tiempo para poder sacarle el mayor provecho a nuestra vida. Alértanos cuando nos sentimos tentados a desperdiciar un día o una hora, o tan siquiera unos pocos minutos.

Remueve de nuestro corazón todo juicio de valor que hace que nos consideremos diferentes o mejores que otros a cualquier nivel. Enternece nuestro corazón para que podamos ver que está dentro de nuestras posibilidades ayudar a los demás a arreglar sus vidas y actuar con la generosa misericordia que tú nos has mostrado.

Jesús, te ofrecemos esta década por nuestras propias madres, ya sea que estén vivas o hayan partido, y por todas las madres. Te pedimos por todos los niños que nacerán hoy. Que tengan al menos una persona en su vida que les enseñe a caminar contigo. Oramos de forma especial por las madres solteras y por todas aquellas parejas que tienen dificultades para concebir y por todos los padres que han perdido un hijo.

María, ruega por nosotros y comparte tu sabiduría con todas las madres.

Amén.

EL CUARTO MISTERIO GOZOSO

La presentación

Fruto del misterio: La escucha atenta

Lectura del Evangelio según san Lucas

La presentación de Jesús en el templo
Cuando se cumplieron los días de la purificación prescrita por la ley de Moisés, llevaron al niño a Jerusalén para presentarlo al Señor como prescribe la ley del Señor: *Todo primogénito varón será consagrado al Señor*. Ofrecieron también en sacrificio, como dice la ley del Señor: *un par de palomas o dos pichones*.

Había en Jerusalén un hombre llamado Simeón, hombre justo y piadoso, que esperaba el consuelo de Israel. El Espíritu Santo estaba en él y le había revelado que no moriría antes de ver al Mesías enviado por el Señor. Vino, pues, al templo, movido por el Espíritu Santo y cuando sus padres entraban con el niño Jesús para cumplir lo que mandaba la ley, Simeón lo tomó en sus brazos y bendijo a Dios diciendo:

—Ahora, Señor, según tu promesa, puedes dejar que tu siervo muera en paz. Mis ojos han visto a tu Salvador, a quien has presentado ante todos los pueblos, como luz para iluminar a las naciones y gloria de tu pueblo Israel.

Su padre y su madre estaban admirados de las cosas que se decían de él. Simeón los bendijo y dijo a María su madre:

—Mira, este niño hará que muchos caigan o se levanten en Israel. Será signo de contradicción, y a ti misma una espada te atravesará el corazón; así quedarán al descubierto las intenciones de muchos.

Cuando cumplieron todas las cosas prescritas por la ley del Señor, regresaron a Galilea, a su ciudad de Nazaret. El niño crecía y se fortalecería llenándose de sabiduría, y contaba con la gracia de Dios.

Lucas 2,22-35, 39-40

REFLEXIÓN

¿Alguna vez has esperado algo con gran anticipación? ¿Esperaste pacientemente? ¿Qué estás esperando en tu vida ahora mismo?

Simeón había esperado. Este era su momento. Había esperado pacientemente, y había orado pacientemente. Ahora había tomado al bebé Jesús en sus brazos. Imagínate la emoción al acercarlo a su pecho, su larga barba canosa acariciando la cabeza del niño. Su rostro reflejaba una extraña combinación de gozo y de angustia —gozo por el presente, angustia por el futuro que sabía o percibía que enfrentaría. Las lágrimas se deslizaban sobre su rostro.

Sitúate ahí en el templo ese día. María y José habían traído a Jesús para presentarlo al Señor en obediencia a la ley judía. María, la madre de Dios, somete a su hijo a la ley de Moisés. Piensa en ello: están presentando Dios a Dios y aun así son obedientes a la ley. Si alguna vez alguien podía estar dispensado de seguir la ley, era Jesús, María y José en ese momento. Pero escogieron la obediencia. Este fue un acto de humildad trascendental.

¿Qué tan frecuentemente decidimos que una regla o una ley en particular no aplica a nosotros? Cuando excedemos el límite de velocidad, hacemos caso omiso a declarar algún ingreso sujeto a impuestos, o dejamos los teléfonos encendidos en un vuelo o en el teatro, realmente decimos: «Esta ley no me compete. Es para todos los demás. Estoy por encima de esa ley». Esto es arrogancia.

«Pobreza, castidad y obediencia. La obediencia es por mucho, la más difícil de vivir», me dijo una vez un monje. ¿A quién estás dispuesto a obedecer? Hasta la misma palabra nos da alergia. Parece que obedecemos solo a nuestros propios deseos. Adictos a la conveniencia y al confort, rechazamos la misma noción de obediencia. No es de extrañar que tengamos tanta dificultad para rendirnos en obediencia a la voluntad de Dios.

La palabra *obediencia* viene del latín *obedire*, que significa «escuchar profundamente». María escuchaba con profundidad. Simón escuchaba con profundidad. Al escuchar profundamente vieron la sabiduría de los caminos de Dios.

ORACIÓN

Con estas inspiraciones en nuestra mente y en nuestro corazón, nos dirigimos a ti, Jesús, en oración.

Señor, otórganos la paciencia de Simeón. Sabemos que muchas veces nuestra impaciencia se interpone en el camino de la obediencia; danos la gracia necesaria para ver la obediencia como algo que da vida en lugar de algo que nos oprime. Ayúdanos a ser más pacientes cada día, y enciende una llama en nuestro corazón que nos haga desear la obediencia.

Inspíranos para darnos cuenta de que tus pautas, tus mandatos y tus leyes están diseñados en parte para protegernos de la gran miseria que la gente experimenta cuando rechaza tu sabiduría. Y a sabiendas de que no podemos amarte si no somos obedientes a ti, nos presentamos ante ti hoy como María y José presentaron a Jesús.

Instrúyenos en todas las cosas, guíanos en todas las cosas; danos tus órdenes; deseamos ser tus siervos fieles.

Jesús, te ofrecemos esta década por la Iglesia, ayúdanos a que todos juntos como Iglesia podamos ir al encuentro de las personas allí donde están y guiarlas adonde tú las llamas. Oramos por todos aquellos involucrados en la educación católica, por las órdenes religiosas, los diáconos, los sacerdotes, obispos y por el papa.

Te pedimos también de forma particular por los que han sido desalentados o lastimados por la Iglesia. Te rogamos que los sanes enviándoles a todos y cada uno de ellos a alguien que los ame a causa de sus heridas.

María, ruega por nosotros y enséñanos a escuchar profundamente a tu hijo.

Amén.

EL QUINTO MISTERIO GOZOSO

La pérdida y hallazgo del Niño Jesús en el templo

Fruto del misterio: La sabiduría

Lectura del Evangelio según san Lucas

El niño Jesús en el templo

Sus padres iban cada año a Jerusalén, a la fiesta de Pascua. Cuando el niño cumplió doce años, subieron a celebrar la fiesta, según la costumbre. Terminada la fiesta, cuando regresaban, el niño Jesús se quedó en Jerusalén, sin saberlo sus padres.

Creyendo que iba en la caravana, hicieron una jornada de camino. No fue hasta entonces que lo buscaron entre los parientes y conocidos. Como no lo hallaron, regresaron a Jerusalén en su busca.

Al cabo de tres días lo encontraron en el templo sentado en medio de los doctores, escuchándolos y haciéndoles preguntas. Todos los que lo oían estaban sorprendidos de su inteligencia y de sus respuestas.

Al verlo, sus padres se quedaron asombrados, y su madre le dijo:

—Hijo, ¿por qué nos has hecho esto? Tu padre y yo te hemos buscado angustiados.

Él les contestó:

—¿Por qué me buscaban? ¿No sabían que tengo que ocuparme de los asuntos de mi Padre?

Pero ellos no comprendieron lo que les decía.

Lucas 2,41-50

REFLEXIÓN

¿Alguna vez has perdido algo?

Cuando pienso en María, me imagino a alguien con mucha paz y mucha calma, pero ahora ella está desesperada. Corre de un lado a otro preguntándole a la gente si han visto a Jesús. Y José quien es típicamente tan apacible, anda gritando: «¡Jesús, Jesús!». Las otras personas en el grupo se inquietan y se muestran perturbadas; nunca antes habían visto a María y a José así.

Piensa cuando no encuentras tu billetera o tus llaves. Entras en pánico ante la posibilidad de que alguien te las haya robado o se te hayan perdido, pero en la mayoría de las ocasiones simplemente no las has puesto en su lugar. Esas son solo cosas. ¿Alguna vez has extraviado a tu niño mientras hacías compras, aun cuando lo hubieras perdido de vista por tan solo unos pocos minutos? Tu corazón late aceleradamente, sientes que te descompones, te pones histérico. Dios, el Creador del universo, les confió el cuidado de Jesús a María y a José, y lo perdieron. Imagínate lo que debieron haber estado pensado y cómo se sentían: gran dolor, tormento, penuria, angustia, suplicio.

Y aún así, con tanta frecuencia perdemos a Jesús en nuestra propia vida y ni siquiera lo notamos. Pueden pasar días o semanas antes de que nos demos cuenta de que lo hemos perdido.

Corre la voz de un niño que está en el templo enseñando con sorprendente sabiduría. Las noticias llegan a oídos de María y José, quienes se dan prisa en llegar al templo. Los seguí, tratando de mantener el paso, y al entrar al templo, te veo ahí, sentado a los pies de Jesús; escuchando, reflexionando. Cada palabra te inspira a ser una mejor persona y vivir una mejor vida.

ORACIÓN

Con estas inspiraciones en nuestra mente y en nuestro corazón, nos dirigimos a ti, Jesús, en oración.

Señor, ayúdanos a tener siempre plena consciencia de tu presencia en nuestra vida. Enséñanos a reconocer tu obra en los momentos ordinarios y extraordinarios de la vida.

De la misma forma en que le era perfectamente natural a Jesús enseñar en la sinagoga, ayúdame a encontrar aquello que quieres que apasionadamente me esfuerce en alcanzar. Libérame del lamento de haber perdido el tiempo y del temor por el futuro. Libérame de la tontería de pensar que soy demasiado joven o demasiado viejo para que tú actúes poderosamente en mi vida.

Nos creaste para una misión. Nos creaste para servir a los otros, y sin esto nuestra vida parece vacía y carente de sentido. Ayúdanos a cada uno a encontrar nuestro camino en tu ministerio, ya sea saludando a la gente calurosamente cuando llegan a misa los domingos, o empezando un estudio bíblico o un club de lectura, o haciendo misión en África, en China o aquí en América.

No nos permitas caer en la tentación de juzgar nuestra misión y nuestro ministerio. Ayúdanos a reconocer que nos has dado la combinación perfecta de talentos y habilidades para llevar a cabo la misión que nos has encomendado.

Jesús, te ofrecemos esta década por todos los que enfrentan dificultades para descubrir lo que deben hacer con su vida. Dales perspectiva y esperanza. Te pedimos particularmente por los padres que han sufrido la pérdida o muerte de un hijo a causa de enfermedades o guerras, asesinatos o secuestros. Alivia su angustia. Te pedimos también por todos aquellos que han perdido el derecho de ver diariamente a sus hijos por divorcio o adicciones.

María, ruega por nosotros e inspira en nosotros el coraje y la perseverancia de nunca cesar de buscar a Jesús.

Amén.

EL PRIMER MISTERIO LUMINOSO

El bautismo de Jesús en el río Jordán

Fruto del misterio: La sanación del cuerpo, la mente y el alma

Lectura del Evangelio según san Mateo

El bautismo de Jesús en el río Jordán

Entonces Jesús vino desde Galilea al Jordán y se presentó a Juan para que lo bautizara. Pero Juan trataba de impedírselo diciendo:

—Soy yo quien necesita que tú me bautices, ¿y tú vienes a mí?

Jesús le respondió:

—Olvida eso ahora; pues conviene que cumplamos lo que Dios ha dispuesto.

Entonces Juan accedió. Apenas fue bautizado, Jesús salió del agua y en ese momento se abrieron los cielos y vio al Espíritu de Dios que bajaba como una paloma y descendía sobre él. Y una voz que venía del cielo decía:

—Este es mi Hijo amado, en quien me complazco.

Mateo 3,13-17

REFLEXIÓN

Juan el Bautista se sentía indigno aun de desatar las sandalias a Jesús, pero ahora Jesús esperaba en fila con pecadores y se presentaba ante Juan para ser bautizado. Me parece que entre más trata una persona de crecer espiritualmente, le es más difícil acoger de una manera sana la indignidad que todos compartimos. Teresa de Ávila nos aconseja: «La humildad es verdad». Jesús nos pide que no enterremos nuestros talentos ni escondamos nuestra luz. ¿Somos dignos del amor de Dios y de sus infinitas bendiciones? Sí, pero eso es solo una parte dentro de la perspectiva total; la otra es que el ser humano es asombroso y Dios nos ama más allá de lo que podemos comprender.

El nacimiento de mi primer hijo impactó mi espiritualidad significativamente. Siempre he creído que Dios me ama. Pero cuando Walter nació, comencé a experimentar el amor de Dios en lo más profundo de mi alma.

Amo a mis hijos más de lo que consideraba posible antes de tenerlos. Y considera esto: soy débil y estoy quebrantado, tengo defectos y soy frágil. Pero si puedo amar a mis hijos de esta forma, con todas mis limitaciones, imagínate cuánto ama Dios a sus hijos, ¡a ti y a mí!

Todo eso me hace sentir indigno. Sí, he sido bendecido, y aun así todavía lidio con sentimientos de ineptitud y de indignidad. Algo de esto es natural y normal, saludable y bueno para nosotros. No obstante, es fácil ir demasiado lejos y olvidar que somos hijos del gran Rey, y que como hijos suyos, estamos invitados a pesar de nuestra indignidad, a participar de todo lo que su reino ofrece.

ORACIÓN

Con estas inspiraciones en nuestra mente y en nuestro corazón, nos dirigimos a ti, Jesús, en oración.

Señor de verdad y orden, haz brillar esa verdad y ese orden hoy sobre nosotros para que podamos tener y mantener un sentido sano y honesto de quienes somos y de quienes no somos. Ayúdanos a vernos a nosotros mismos como tú nos ves.

Permite que nuestra autoestima esté fundamentada no en lo que hemos hecho o dejado de hacer, no en las cosas de este mundo que poseemos o no, ni siquiera en nuestros logros o fracasos. Permite que nuestra autoestima encuentre sus raíces en el amor que tú, que tu Padre y el Espíritu derraman sobre nosotros en este momento. Que sea esta la confianza gozosa y apacible de un niño que vive bajo la providencia y la protección de un padre poderoso.

Jesús, te ofrecemos esta década a ti y a tu madre por cada persona, adulto o niño, que será bautizada hoy. Que la nueva vida del bautismo los anime por el resto de su vida. También pedimos de manera particular por aquellos que carecen de la claridad y el coraje de responder hoy al llamado de su bautismo. Que tengan mejores días por delante.

María, Madre de Dios y madre nuestra, eres la mujer más honrada de toda la historia. Comparte con nosotros tu profunda humildad y firme confianza para que así podamos tener un sentido sano de nuestra propia persona.

Amén.

EL SEGUNDO MISTERIO LUMINOSO

Las bodas de Caná

Fruto del misterio: La hospitalidad generosa

Lectura del Evangelio según san Juan

Las bodas de Caná

Al tercer día hubo una boda en Caná de Galilea. La madre de Jesús estaba invitada. También lo estaban Jesús y sus discípulos.

Se les acabó el vino, y entonces la madre de Jesús le dijo:

—No les queda vino.

Jesús le respondió:

—¿Qué nos va en esto a mí y a ti, mujer? Mi hora aún no ha llegado.

La madre de Jesús dijo entonces a los que estaban sirviendo:

—Hagan lo que él les diga.

Había allí seis cántaros de piedra, de los que utilizaban los judíos para sus ritos de purificación, cada uno con capacidad de unas dos o tres metretas. Jesús dijo a los que servían:

—Llenen los cántaros de agua.

Y los llenaron hasta arriba. Una vez llenos, Jesús les dijo:

—Saquen ahora un poco y llévenselo al maestresala. Y así lo hicieron.

Cuando el encargado probó el vino nuevo sin saber de dónde venía (solo lo sabían los sirvientes que habían sacado el agua), llamó al novio y le dijo:

—Todo el mundo sirve primero el vino de mejor calidad, y cuando los invitados ya han bebido bastante, saca el más corriente. Tú, en cambio, has reservado el de mejor calidad hasta ahora.

Esto sucedió en Caná de Galilea. Fue el primer signo realizado por Jesús. Así manifestó su gloria y sus discípulos creyeron en él.

Juan 2,1-11

REFLEXIÓN

Desde sus inicios, la hospitalidad ha sido algo medular en la cultura cristiana. Los primeros cristianos intrigaron y dejaron perplejos a la gente de su tiempo con su hospitalidad radical que era generosa, gentil, afectuosa, considerada y profundamente personal en medio de una cultura trágicamente impersonal que trataba a la gente como si fuera ganado. La hospitalidad de los primeros cristianos hacía que la gente se sintiera bienvenida, y eso no es algo insignificante en un mundo lleno de personas que ansiosamente desean sentirse aceptadas e integradas.

Las bodas son una espléndida expresión de hospitalidad. Jesús y María habían asistido a una boda. No parecía que fueran muy cercanos a los novios, pero aun así María y Jesús fueron mucho más de lo esperado para evitar que la nueva pareja y sus familias pasaran por la vergüenza de que se les acabara el vino.

María tomó tan seriamente la hospitalidad que le pidió a su hijo que alterara los eventos de la historia. Jesús obviamente tenía el plan de empezar su vida pública de una forma en particular y en un determinado tiempo, no en esta coyuntura, pero aun así terminó por satisfacer la solicitud de su madre. Él se negó a sí mismo, murió a sí mismo, se incomodó a sí mismo, y permitió que la petición de su madre cambiara el curso de la historia de la salvación. Solo esto nos muestra el increíble respeto que Jesús tenía por su madre.

¿Cómo reaccionas cuando la gente te pide cambiar tus planes (en formas infinitamente menos significativas)?

He estado reflexionando en este misterio por treinta años, pero algo totalmente nuevo se me acaba de ocurrir. María debió haber sabido que Jesús podía hacer algo. Al hacerle la solicitud a Jesús estaba asumiendo que él podía solventar el problema. ¿Cómo lo sabía? ¿Qué cosas extraordinarias había visto María hacer a Jesús durante los primeros treinta años de su vida?

Cada día encontramos oportunidades de vivir nuestra fe a través de la hospitalidad. A mi esposa y a mí nos gusta hacer sentir a la gente tan bienvenida cuando están con nosotros, que nunca quieren irse. Como líder de un equipo de trabajo, veo el lugar de trabajo como una vasta oportunidad de brindar hospitalidad tanto a empleados como a clientes, y veo a *Dynamic Catholic* como una rica oportunidad para ofrecer una hospitalidad radical a los miembros de equipos, donadores y clientes. Cada día nos presenta varias invitaciones para extender una hospitalidad afable y generosa hacia aquellos que cruzan nuestro camino.

El próximo domingo una persona que viene de otra ciudad visitará tu parroquia para asistir a misa. ¿Se sentirá bienvenida? ¿Se irá deseando que ella y su familia vivieran en el área para poder ir a misa cada domingo porque tú la hiciste sentir tan bien recibida?

¿Y tú, te sientes bienvenido en tu propia parroquia? ¿Se sentirá acogido un nuevo miembro? ¿Cuántas personas crees que no se sienten bienvenidas en sus propias parroquias?

La hospitalidad es un ministerio poderoso. Jesús nunca le predicó a nadie antes de atender una necesidad humana.

Primero los alimentó, los sanó, los confortó y los hizo sentirse integrados y acogidos. Él abrió sus corazones a lo divino prestando atención a sus necesidades humanas ordinarias.

Hagamos de nuestro hogar y de nuestra parroquia templos de bienvenida, templos de hospitalidad. Las personas escuchan de formas distintas, responden de formas distintas, viven de formas distintas y dan de formas distintas cuando sienten que son bienvenidos.

ORACIÓN

Con estas inspiraciones en nuestra mente y en nuestro corazón, nos dirigimos a ti, Jesús, en oración.

Señor, tú inspiraste a los primeros cristianos a adoptar una hospitalidad generosa como estilo de vida. Al desarrollar una conciencia, no muy común en esos tiempos, de las necesidades de otras personas, te amaban, mostrando su amor los unos por los otros. En ese proceso, esta hospitalidad generosa los ayudó a construir fuertes lazos matrimoniales y familiares, comunidades vibrantes, y una identidad en el ámbito más amplio de la cultura imperante que fascinaba a la gente.

Enriquece todos los matrimonios y las familias con hospitalidad. Haznos conscientes de las necesidades de los demás y danos un deseo vehemente de servirles. Señor, usa la hospitalidad para renovar el matrimonio en nuestra sociedad. Es una forma práctica y profunda de poner las necesidades de los demás antes de las nuestras. Es una expresión diaria de que nos amamos. Inspira cada matrimonio para llegar a ser uno que ofrezca una generosa hospitalidad.

Jesús, ofrecemos esta década por todas las parejas unidas en matrimonio del mundo entero; ayúdalos a apreciarse el uno al otro. Dales coraje para abordar los temas difíciles para que sus matrimonios continúen creciendo.

También te pedimos de forma particular por todas las parejas que hoy se están casando; que la esperanza y la dicha de este día perduren a través de su vida matrimonial. Oramos por todas las parejas comprometidas; dales la sabiduría para prepararse para el matrimonio y no simplemente para planear una boda. Pedimos también por aquellos matrimonios que hoy celebran su aniversario, y por las parejas que en estos momentos están enfrentando dificultades en su relación. Elevamos a ti a todos los que han sufrido y continúan sufriendo los efectos del divorcio — los hombres, las mujeres y especialmente los niños.

Finalmente, Jesús, te pedimos que de la misma forma en que abundantemente supliste más vino cuando estaba por agotarse en la boda en Caná, por favor provee abundantemente lo que hoy se encuentre escaso en nuestras vidas.

María, en Caná mostraste tu sentido de hospitalidad. Ayúdanos a ser cada día más conscientes de lo sucede en nuestro interior y a nuestro alrededor. Especialmente aumenta nuestra sensibilidad a las necesidades de los demás.

Amén.

EL TERCER MISTERIO LUMINOSO

La proclamación del reino de Dios

Fruto del misterio: El deseo de santidad

Lectura del Evangelio según san Mateo

Jesús proclama el reino de Dios
Al ver a las multitudes, Jesús subió a la montaña, se sentó, y se le acercaron sus discípulos. Entonces comenzó a enseñarles con estas palabras:

Dichosos los pobres en el espíritu,
porque de ellos es el reino de los cielos.
Dichosos los afligidos,
porque Dios los consolará.
Dichosos los humildes,
porque heredarán la tierra.
Dichosos los que tienen hambre y sed
de hacer la voluntad de Dios,
porque Dios los saciará.
Dichosos los misericordiosos,
porque Dios tendrá misericordia de ellos.
Dichosos los limpios de corazón,
porque ellos verán a Dios.
Dichosos los que construyen la paz,
porque Dios los llamará sus hijos.
Dichosos los perseguidos
por hacer la voluntad de Dios
porque de ellos es el reino de los cielos.

Dichosos serán ustedes cuando los injurien y los persigan, y digan contra ustedes toda clase de calumnias por causa mía. Alégrense y regocíjense, porque será grande su recompensa en los cielos, pues así persiguieron a los profetas que vivieron antes de ustedes.

Mateo 5,1-11

REFLEXIÓN

Al hablar sobre el reino, Jesús dejaba a la gente perpleja. Tenían una cierta imagen de Dios y de sus caminos, y Jesús les cambió completamente el esquema. A nuestro modo, también nosotros tenemos imágines y percepciones de Dios respecto a cómo él interfiere y cambia el curso de las cosas, lo cual al final resulta ser para bien.

El reino es distinto. Los caminos de Dios no son los caminos del hombre. Los primeros serán los últimos. Todos los hombres, mujeres y niños son iguales —los ricos y los pobres, los que gozan de salud y los que están enfermos, los jóvenes y los ancianos. El mundo ambiciona poder y dominio, mientras que el reino de Dios se rige por la verdad, la belleza y la bondad. La moneda de un reino mundano es el dinero y la influencia, pero la del reino de Dios es la benevolencia, la compasión y la misericordia. El mundo busca tener el control; Dios ama la libertad. El mundo está motivado por el interés propio, mientras que el reino de Dios nos invita a dejar de lado nuestros propios intereses para seguir la voluntad de Dios y para dar la vida por otros. El mundo alaba las posesiones y los logros; el reino dice que quien llegas a ser es infinitamente más importante que lo que haces o lo que posees.

El mundo busca siempre algo más; el reino dice que menos es mejor. El mundo complica; el reino simplifica. El mundo ambiciona mientras que el reino ama. El mundo genera confusión pero el reino brinda claridad. El mundo odia los enemigos; el reino no tiene enemigos porque amamos a nuestros enemigos hasta que lleguen a ser uno con nosotros. El mundo está dividido; el reino está unido.

El reino de Dios se ve y actúa como Jesús. Es un reino de una generosidad exorbitante.

Todos necesitamos de un reino. Es un lugar, es una persona, es una visión del mundo, es la pregunta y la respuesta, es el sistema de valores supremo. Y ha de ser buscado incansablemente.

Jesús vino a revelarnos el reino de Dios para que así podamos vivir vidas justas y llenas de amor ante los ojos de Dios. Él permanece a nuestro lado, animándonos y retándonos, para que podamos vivir nuestras promesas bautismales y hacer del amor y de la justicia nuestro estilo de vida transformando así el rincón del mundo donde vivimos.

Jesús nos invita a vivir en este mundo con la perspectiva del reino. ¿Está tu vida haciendo el mundo más semejante al reino de Dios? ¿Cómo estás proclamando el reino de Dios en tu propia vida?

ORACIÓN

Con estas inspiraciones en nuestra mente y en nuestro corazón, nos dirigimos a ti, Jesús, en oración.

Señor de este mundo y del venidero, ayúdanos a ver este mundo como lo que es y abre nuestros sentidos espirituales para ver el mundo venidero como algo por lo que vale la pena vivir y dar la vida.

Danos el coraje de unirnos a ti en la misión de propiciar la primacía de tu reino aquí en la tierra, así como en el cielo. Inspíranos en el camino de ver nuestra vocación como un medio de llevar tu justicia y tu amor a todas y cada una de las situaciones de nuestra vida. Danos coraje cuando necesitamos coraje. Danos claridad de pensamiento y palabras ineludibles cuando necesitamos claridad de pensamiento y palabras ineludibles. Danos silencio cuando necesitamos silencio. Danos humildad cuando otros busquen humillarnos, a nosotros y al reino. Recuérdanos a diario que es imposible colaborar contigo en la construcción de tu reino cuando estamos obsesionados en construir el nuestro.

Reordena nuestras prioridades en torno a las prioridades de tu reino. Danos los valores del reino, e inspíranos a vivirlos. Enséñanos el camino del reino para hacer las cosas y permite que podamos hacer de las metas del reino, las nuestras.

Jesús, te ofrecemos esta década por todos aquellos que están buscando activamente su misión en la vida. Permíteles escuchar tu voz hoy con mayor claridad que nunca. Te pedimos por todos aquellos que están confusos y no saben cómo deberían vivir su vida. Dales la gracia de tu luz y la sabiduría de la paciencia y libéralos del mal de la inacción.

También oramos de una forma especial por los que lidian con una enfermedad mental. Te rogamos que calmes su mente, su cuerpo y su alma para que así experimenten alivio de sus problemas. Dales a aquellos que cuidan de ellos paciencia y bienestar. El rol que asumen es difícil, desgastante a nivel emocional, demanda largas horas para realizar un trabajo que a menudo no es tan siquiera apreciado. Enriquece sus vidas con personas que puedan expresarles agradecimiento y aprecio.

María, enséñanos a amar el reino y a acoger sus valores; incrementa nuestro deseo de que el reino impere en cada situación, en nuestras palabras y en nuestras acciones, en nuestro corazón, en nuestra mente, en nuestra alma y en nuestra vida.

Amén.

EL CUARTO MISTERIO LUMINOSO

La transfiguración de Jesús

Fruto del misterio: La confianza en Dios

Lectura del Evangelio según san Lucas

La transfiguración de Jesús

Unos ocho días después Jesús tomó consigo a Pedro, a Juan y a Santiago y subió a la montaña para orar. Mientras oraba, cambió el aspecto de su rostro y su vestidura se volvió de un blanco resplandeciente. En eso aparecieron conversando con él dos hombres. Eran Moisés y Elías, que resplandecientes de gloria, hablaban del éxodo que Jesús iba a cumplir en Jerusalén. Pedro y sus compañeros, aunque estaban cargados de sueño, se mantuvieron despiertos y vieron la gloria de Jesús y a los dos que estaban con él. Cuando estos se retiraban, Pedro le dijo a Jesús:

—Maestro, ¡qué bien estamos aquí! Hagamos tres tiendas: una para ti, otra para Moisés y otra para Elías.

Pedro no sabía lo que decía. Mientras estaba hablando vino una nube y los cubrió; y se asustaron al entrar en la nube. De la nube salió una voz que decía:

—Este es mi Hijo elegido; escúchenlo.

Cuando sonó la voz, Jesús se quedó solo. Ellos guardaron silencio y no contaron a nadie por entonces, nada de lo que habían visto.

Lucas 9,28-36

REFLEXIÓN

¿Por qué Moisés y Elías? Elías representa a todos los profetas que anhelaban la venida de Jesús. Moisés nos dio la ley. ¿Y por qué no Abraham, quien recibió la promesa del Mesías y es nuestro padre en la fe? Una explicación es que Jesús vino a hacer efectivas las profecías y la ley. La ley esboza el problema del pecado y Jesús es la solución a ese problema...y mucho más.

¿Cuál es el problema en tu vida? ¿Estás dispuesto a permitir que Jesús sea la solución? ¿Estás viendo el problema desde una perspectiva divina? ¿O estás viendo el problema desde una perspectiva terrenal y tratando de resolverlo con tu propia fuerza?

Jesús quiere mostrarnos lo que es posible. Con frecuencia nuestra visión es limitada, sujeta a lo meramente humano. Él quiere abrir nuestro corazón y nuestra mente a un potencial que va más allá de lo que humanamente podemos imaginarnos.

Dios continuamente intenta hacernos ver las cosas como lo son realmente. Los discípulos, al igual que tú y yo, podían ver a Jesús de una forma coartada por sus propias limitaciones. Jesús llevó a Pedro, a Juan y a Santiago a la montaña para que Dios Padre pudiera abrir sus ojos espirituales y darles así una visión más amplia que nunca antes para ver a Jesús en toda su gloria.

Asimismo Dios trata constantemente de ayudarnos a ver posibilidades que no vemos debido a nuestros puntos ciegos, baja autoestima, apegos a un determinado camino o resultado y a otros defectos o limitaciones. Casi nunca vemos las muchas opciones y posibilidades que existen para nosotros en una situación.

La mayoría de la gente tiene, al tomar una decisión, muchas más opciones que las que ve. Nos conformamos tan fácilmente con una o dos opciones y pensamos luego que el gran dilema es decidir entre las dos, cuando en realidad es que quizás hay una docena más de posibilidades de las que ni siquiera estamos conscientes, porque carecemos de la paciencia necesaria para hacer el inventario de las opciones que se nos presentan ante una determinada situación. A veces nos sentimos profundamente angustiados y nos debatimos sinceramente entre las dos, cuando la verdad es que aquello a lo que Dios nos invitaba ni siquiera llegó a estar en la lista de opciones porque andábamos con demasiada prisa. Siempre tienes más opciones de las que consideras.

¿Cómo cambiarían tus prioridades si te vieras como lo que realmente eres? ¿En qué sentido cambiaría la forma en que vives?

Dios quiere que veamos las cosas de forma diferente. Quiere que seamos conscientes de todo nuestro potencial, que veamos todo lo que somos capaces de hacer y de ser, y que con esta percepción nueva respecto a ti mismo, vivas de forma distinta.

ORACIÓN

Con estas inspiraciones en nuestra mente y en nuestro corazón, nos dirigimos a ti, Jesús, en oración.

Señor de posibilidades, abre nuestros ojos físicos y espirituales para ver todas las oportunidades que se nos presentan ante una determinada situación. Señor, ayúdanos a ver realmente. Haznos notar cuando nos vemos tentados a limitarnos y quedarnos satisfechos con mucho menos de lo que nos has llamado a ser. Remueve los puntos ciegos del ego, del temor, de la ambición, de los prejuicios y la parcialidad, y ayúdanos a ver las cosas como realmente son y como verdaderamente pueden ser. Transfórmanos en personas de posibilidad.

Ahora que nuestro corazón arde con un sentido de todo lo que es posible, ayúdanos a entender lo que observa Léon Bloy: «La única tristeza real, el único fracaso real, la única tragedia en vida es no llegar a ser santo». En cada instante del día recuérdanos que la santidad es posible. Danos el coraje de colaborar contigo en la transformación de cada momento de nuestra vida en un momento santo.

Jesús, te ofrecemos esta década del rosario por todos los que padecen problemas y retos mucho más grandes que los nuestros. Dales consuelo a ellos y a nosotros, compasión.

También pedimos de forma particular por los santos de los cuales nunca escuchamos, los santos anónimos en el mundo que viven sus días llevando gozo, esperanza y consuelo a quien se cruza en su camino. En ocasiones ellos también se desaniman y se desilusionan. En esos momentos, envía a alguien que los aliente y los llene una vez más, con tu energía y entusiasmo por la vida. Gracias por tu ejemplo de santidad en el mundo. Ellos nos recuerdan que la santidad es de hecho posible para la gente ordinaria. María, ayúdanos a ver a tu hijo como realmente es, fue y por siempre será.

Amén.

EL QUINTO MISTERIO LUMINOSO

La institución de la Eucaristía

*Fruto del misterio: Fe en la presencia real
de Jesús en la Eucaristía*

Lectura del Evangelio según san Lucas

La institución de la Eucaristía
Llegada la hora, Jesús se sentó a la mesa con sus discípulos. Y les dijo:

—¡Cómo he deseado celebrar esta Pascua con ustedes antes de morir! Porque les digo que no la volveré a celebrar hasta que tenga su cumplimiento en el reino de Dios.

Tomó entonces un cáliz, dio gracias y dijo:

—Tomen esto y repártanlo entre ustedes; pues les digo que ya no beberé del fruto de la vid hasta que llegue el reino de Dios.

Después tomó pan, dio gracias, lo partió y lo dio a sus discípulos diciendo:

—Esto es mi cuerpo, que se entrega por ustedes; hagan esto en memoria mía.

Y después de la cena, hizo lo mismo con el cáliz diciendo:

—Este es el cáliz de la nueva alianza sellada con mi sangre, que se derrama por ustedes. Pero el que me entrega está sentado conmigo en esta mesa. Porque el Hijo del hombre se va, según lo dispuesto por Dios; pero ¡ay de aquel que lo entrega!

Entonces ellos comenzaron a preguntarse unos a otros quién de ellos era el que iba a hacer aquello.

Lucas 22,14-23

REFLEXIÓN

Lo que no sabemos

La indiferencia hacia la Eucaristía es un sello en nuestro tiempo. Es tan fácil volverse indiferente; hacia la gente, hacia las cosas de gran valor, aun indiferente ante la vida misma. Es parte de la naturaleza humana. Si no fomentamos intencional y proactivamente la reverencia y respeto que Dios, la Iglesia, la misa, la Eucaristía y la vida merecen, nuestro corazón se hará indiferente a estos tesoros.

Si observas la actitud y el comportamiento de los católicos en misa, la única conclusión a la que puedes llegar es que son indiferentes hacia Jesús, el Hijo del Dios vivo, el Rey de reyes, el Señor de los señores, el principio y el fin, el Dios hecho hombre que murió en la cruz por ellos y que los salvó de sus pecados, el mismo Jesús que nos muestra cómo podemos ser razonablemente felices en esta vida y nos invita a unirnos a él en el gozo supremo de la eternidad.

Vivimos en una época de indiferencia. No debería sorprendernos. Si la gente en masa puede ser indiferente hacia Jesús, nadie se salva de su orgullosa indiferencia.

¿Alguna vez has ayudado a alguien, haciendo mucho más de lo esperado para hacer de su vida algo mejor, y pese a ello esa persona se resiente contigo? En primera instancia, su indiferencia hacia ti te molesta, pero a medida que reflexionas sobre todo lo que hiciste por ella, el dolor un tanto superficial se hace más hondo y te llega al meollo de tu alma y de tu corazón. Te sientes consternado y conmocionado, pero no deberías. Todos lo hacemos y, pero aún, todos se lo hacemos a Dios.

En una cultura de indiferencia, nada es santo. Esto es lo que vemos en la gente al ver cómo se hablan y se tratan unos a otros y lo vemos en la forma en que se ataca a todo aquello y a todos aquellos que son buenos y santos.

La misa y la Eucaristía nos deberían inspirar deslumbramiento y un profundo respeto. Admito que con frecuencia no me sucede así. Esto es prueba de mi ignorancia. La misa y la Eucaristía son siempre frescas, fuentes de sabiduría, de amor y de gracia que no cesan en renovarse. Podríamos ir a misa cada día de nuestra vida, y aun así habría un sinfín de lecciones que podríamos aprender de la misa y de la Eucaristía.

Una de las razones de nuestra indiferencia es que este mundo cínico ha adormecido nuestros sentidos espirituales. Nuestra imaginación y nuestra visión espiritual han sido atracadas por sutiles y no tan sutiles ataques diarios de nuestra cultura.

¿Sabes lo que pasó en la Última Cena? Si nos planteamos esta pregunta, la mayoría de nosotros diría que sí y procederíamos a recitar los hechos y la mecánica de esta experiencia histórica. En nuestra disparatada arrogancia creemos saber lo que pasó en la Última Cena.

Consideremos lo que no sabemos sobre la Última Cena. ¿Quién llegó primero? ¿Quién fue el último en salir? ¿Cuál de los discípulos se mostraba más consternado por que los otros tuvieran lo que necesitaban? ¿De qué estaban hablando Andrés y Pedro esa noche? ¿Qué estaba Judas pensando mientras se preparaba para traicionar a sus hermanos y a su Dios? ¿Habrían estado hablando los discípulos respecto al futuro, haciendo planes que nunca se materializarían porque en cuestión de horas el mundo cambiaría para siempre? ¿Estarían discutiendo algo trivial o irrelevante? ¿Cómo se habría sentido Jesús a sabiendas de lo que iba a suceder? ¿Cuál de los discípulos tenía el mejor sentido de humor? ¿Habrían estado bromeando esa noche antes de cenar inconscientes de que estaban a punto de experimentar uno de los más serios eventos en la historia del mundo? ¿Sabrían que las generaciones futuras iban a poder consumir el cuerpo y la sangre de Jesús? ¿Sabrían que la gente se iba a matar entre sí a causa de esta única idea, esta verdad solitaria que sería la causa de que muchos abandonaran a Jesús?

¿Sabes lo que pasó en la Última Cena? Lo que no sabemos eclipsa lo que sabemos. Lo que no sabemos respecto a Dios hace que lo que sabemos parezca como un grano de arena en el Sahara.

Roguémosle a Jesús que despierte nuestros sentidos espirituales para que al leer las Escrituras podamos percibir el aroma del polvo que se levanta a lo largo del camino, escuchar el murmullo de la multitud mientras él habla, notar las miradas en el rostro de la gente, y escuchar sus palabras sin el ruido y las distracciones de este mundo.

Es sorprendente ver en qué decidimos poner el foco de nuestras vidas. Es increíble ver donde ponemos nuestro interés y desvelos. Pon aquello que te preocupa ahora en la gran perspectiva de Dios, de la vida, de la historia del mundo y de la eternidad. Las cosas a las que le asignamos gran importancia generalmente revelan nuestras prioridades distorsionadas.

La indiferencia destruye el amor. La indiferencia usualmente impide el amor desde su inicio, dado que nos coloca dentro de una concha inexpugnable de negligencia.

ORACIÓN

Con estas inspiraciones en nuestra mente y en nuestra corazón, nos dirigimos a ti, Jesús, en oración.

Señor, condúcenos a ti, más cerca de lo nunca antes hemos estado. Inspíranos a pasar tiempo contigo ante el tabernáculo. Que no dejemos de acoger las oportunidades que se presenten de pasar tiempo contigo en adoración. Te pedimos que dispongas las cosas de tal manera que podamos participar de la misa con mayor frecuencia y recibirte a ti, en tu cuerpo, sangre, alma y divinidad, en la humilde hostia.

Destierra la indiferencia de nuestro corazón y de nuestra vida.

Llénanos hoy con un amor y un respeto por la Eucaristía completamente renovados. Señor, toma nuestro minúsculo entendimiento acerca de lo que la Eucaristía es y de lo que puede hacer y llévalo a un nivel totalmente nuevo. De alguna forma, en algún lugar, en algún momento, permite que este gran divisor una a todos los cristianos y al mundo entero en paz y tranquilidad.

Jesús, te ofrecemos esta década por los sacerdotes; por los que han sido y los que serán. Bendícelos Señor con inimaginable gracia para llevar a cabo su obra. Nunca les permitas dudar de la importancia de su trabajo y la diferencia que hacen para la gente ordinaria que busca amarte, hacer tu voluntad y vivir bien la vida. Levántalos cuando se sienten desalentados. Incúlcales un deseo profundo de sanar a tu pueblo y a ejemplo tuyo, enséñales a cuidar de su cuerpo y de su alma.

Te pedimos también de manera especial por todos aquellos que se preparan para ser sacerdotes y para ministrar a tu pueblo y por aquellos que están discerniendo su llamada al sacerdocio; por favor dales coraje. Y por cualquier sacerdote o cualquier persona que haya perdido la fe en tu presencia real en la Eucaristía, dale a cada uno de ellos nueva energía por la vida y el ministerio y un coraje renovado para compartir tu amor y tu mensaje con otros.

Señor, ayúdanos a identificar aquello por lo cual verdaderamente tenemos hambre en nuestra vida y danos sabiduría para darnos cuenta de que tú quieres alimentar nuestras más profundas necesidades mediante la Eucaristía.

María, así como ora el sacerdote: «Oh sacerdote de Dios, celebra esta misa como que si fuera tu primera misa, tu última misa, tu única misa», ayúdanos a acercarnos a cada misa con gran respeto y asombro, como si fuera nuestra primera misa, nuestra última misa, nuestra única misa.

Amén.

Los misterios dolorosos

La agonía en el huerto de Getsemaní

Fruto del misterio: El dolor por los pecados

La flagelación del Señor

Fruto del misterio: La compasión

La coronación de espinas

Fruto del misterio: La paciencia

El camino al Calvario cargando la cruz

Fruto del misterio: La valentía para enfrentar la injusticia

La crucifixión de Jesús

Fruto del misterio: La redención

EL PRIMER MISTERIO DOLOROSO

La agonía en el huerto de Getsemaní

Fruto del misterio: El dolor por los pecados

Lectura del Evangelio según san Mateo

La oración de Jesús en el huerto de Getsemaní
Entonces fue Jesús con sus discípulos a un huerto llamado Getsemaní, y les dijo:

—Siéntense aquí mientras voy a orar un poco más allá.

Llevó consigo a Pedro y a los dos hijos de Zebedeo; comenzó a sentir tristeza y angustia, y les dijo:

—Me muero de tristeza, quédense aquí y velen conmigo.

Después avanzando un poco más, cayó rostro en tierra y suplicaba así:

—Padre mío, si es posible, aleja de mí este cáliz de amargura; pero no se haga como yo quiero, sino como quieres tú.

Regresó junto a sus discípulos y los encontró dormidos. Entonces dijo a Pedro:

—¿De modo que no han podido velar conmigo ni siquiera una hora? Velen y oren, para que puedan afrontar la prueba; pues el espíritu está bien dispuesto, pero la carne es débil.

Se alejó de nuevo por segunda vez y volvió a orar así:

—Padre mío, si no es posible evitar que yo beba este cáliz de amargura, hágase tu voluntad.

Regresó y volvió a encontrarlos dormidos porque sus ojos se cerraban de sueño.

Los dejó y volvió a orar por tercera vez, repitiendo las mismas palabras. Entonces regresó donde estaban los discípulos y les dijo:

—¿Todavía están durmiendo y descansando? Ha llegado la hora y el Hijo del hombre va a ser entregado en manos de los pecadores. Vamos, levántense. Ya está aquí el que me va a entregar.

Mateo 26,36-46

REFLEXIÓN

Tú y yo estamos ahí, en el huerto con Jesús. El cielo está oscuro pero despejado y se respira aire fresco. Para propósitos de esta meditación imagínate que tú y yo somos dos de los discípulos de Jesús. Estamos a una corta distancia de él; sin embargo, estamos fatigados y nos quedamos dormidos. Cuando Jesús regresa y nos despierta, nos sentimos avergonzados. Estamos débiles y tenemos un gran pesar. No es Jesús el que nos hace sentir así, somos nosotros.

—¡Manténganse despiertos! —nos lo dice tres veces. Pero no podemos. Le fallamos. Imagínate lo solo debe haberse sentido esa noche en el huerto y nosotros hemos sumado a esa intensa soledad al no haber sido tan siquiera capaces de acompañarlo en vigilia durante sus últimas horas.

¿Y es distinto hoy?

Hoy todavía me quedo dormido. A veces me duermo mientras oro. Quizás Jesús me está hablando a través de esa experiencia y me está diciendo que necesito más descanso. Pero intuyo que posiblemente me dice: «¿Por qué postergaste la oración todo el día hasta la tarde o la noche?» o «¿No deberías darle a la oración lo mejor de tu tiempo y tu energía?». Me ha dicho estas cosas muchas veces antes, y naturalmente me siento desilusionado conmigo mismo de que tenga que decírmelo una vez más. Me hago entonces el propósito de darle a la oración una mayor prioridad en mi vida.

También me quedo dormido de otras maneras. Algunos días me quedo dormido en mi matrimonio, o como padre de familia. Hay momentos en los que me he quedado dormido por semanas o aun por meses en relación a mi condición física. Es tan fácil tomarse una siesta con respecto a la responsabilidad financiera. Dios nos instruye, como peregrinos que vamos de paso por este lugar que llamamos la tierra, a mantenernos despiertos y estar constantemente vigilantes y atentos a lo que es más importante, en lugar de que las cosas menos importantes acaparen nuestras agendas y nuestra vida.

Nos es tan fácil juzgar a los discípulos por quedarse dormidos cuando Jesús les había pedido acompañarlo en vigilia y en oración. Los Evangelios nos relatan que Jesús con frecuencia se retiraba solo a orar. Quizás los discípulos pensaron que era simplemente otro de esos momentos, sin darse cuenta de que esa vez era diferente, sin saber que esa sería la última vez.

Y nosotros, ¿no nos quedamos dormidos en nuestra vida de distintas maneras cuando Dios nos llama a permanecer despiertos y conscientes de lo que sucede alrededor nuestro y en nuestro interior?

¿Has estado alguna vez en agonía física, espiritual, emocional o psicológica? Multiplica eso por infinito y llévalo a las profundidades eternas y podrás tener un breve vistazo de lo que Jesús experimentó esa noche en el huerto de Getsemaní.

¿Cuándo fue la última vez que pasaste una hora en oración? Quizás de nuevo sea hora.

ORACIÓN

Con estas inspiraciones en nuestra mente y en nuestro corazón, nos dirigimos a ti, Jesús, en oración.

Señor, esa noche en el huerto, oraste abierta y honestamente al Padre, con tanta intensidad que empezaste a sudar sangre. Supongo que todo tenía que ver con el hecho de que sabías lo que estaba en juego. Con demasiada frecuencia yo olvido lo que está en juego.

Es imposible ignorar que yo te coloqué en el huerto esa noche. Al reconocer esto surge en mí una serie de emociones que van desde la vergüenza y la pena hasta el horror absoluto. Tú estás pagando por las imprudentes deudas que he apilado. Me duele el estómago de pensar que este es solo el principio de tu total entrega para redimirme a mí, a mis amigos, a mi familia, a mis colegas, a mis compañeros de escuela... y a toda la humanidad.

Deseo hacerme de la vista gorda, huir, pero no puedo. Estás sudando sangre, y sé que este es solo el comienzo. Hasta el momento nadie ha puesto una mano sobre ti. La angustia de todo lo que ha sucedido y de lo que sucederá te hace pensar incluso a ti si existe otro camino.

Peor aun, hay días en que me cuesta tan siquiera sentirme arrepentido de mis pecados. Hay áreas de mi vida que aún no te he entregado, ni siquiera he permitido que entres. ¿Por qué no confío más en ti? ¿Por qué no creo que todo es mejor hecho a tu manera?

La terrible realidad es que siento afecto por algunos de mis pecados. No quiero dejarlos y tanto es así que planeo mis deseos en función de ellos. Señor de todo lo bueno y verdadero, ayúdame a ver que en todo tu camino es el mejor camino y permíteme desistir de los pecados con los que estoy emocionalmente vinculado.

Eso me causa temor. Estoy seguro de que habrá resbalones y caídas. Entonces antes que nada genera en mí el deseo. Dame el deseo de arrepentirme de mis pecados y de renunciar a ellos. Permite que ese deseo crezca y se fortalezca cada vez que hago algo bueno o que muestro generosidad, consideración o compasión por alguien. De esta forma puedo colaborar contigo para que la llama del deseo arda como un fuego impetuoso en mi corazón y en mi alma.

Jesús, te ofrecemos esta década por todos los que alrededor del mundo rezarán el rosario hoy. Permítenos ver con claridad a qué nos llamas, qué quieres que emprendamos, y danos el coraje de llevarlo a cabo un día a la vez.

María, madre del mismo Jesús que fue arrestado en el huerto, el mismo Jesús que no opuso resistencia a su injusto arresto, el mismo Jesús que llegaría a sufrir y a morir para renovar nuestra relación con Dios, susúrranos al oído cada vez que estemos tentados a pecar. Susurra palabras de sabiduría y aliento, susúrranos la realidad del mundo venidero para poder darle la espalda al pecado y esforzarnos aún más por vivir una vida de virtud.

Amén.

EL SEGUNDO MISTERIO DOLOROSO

La flagelación del Señor

Fruto del misterio: La compasión

Lectura del Evangelio según san Juan

Jesús es azotado
Entonces Pilato ordenó que azotaran a Jesús.

Juan 19,1

REFLEXIÓN

Una sola sentencia. «Entonces Pilato ordenó que azotaran a Jesús». Siete palabras. Esto habría sido suficiente para matar a la mayoría de la gente. Su espalda fue desgarrada en cientos de puntos, la sangre corría de cada pequeño fragmento de su cuerpo divino rasgado y esparcido por el suelo —el cuerpo de Cristo. Y era apenas el comienzo de lo que tendría que pasar.

¿Por qué somos tan crueles el uno con el otro? Hay una vena de crueldad que corre a través de la humanidad. La puedes palpar en los niños pequeños jugando juntos en el parque infantil. Pueden ignorar o excluir a un niño, empujar a otro y reírse de ello, o insultar a un niño con apodos o burlarse de lo que anda puesto.

En la mayoría de los casos los adultos no somos mejores. Nuestras inseguridades desencadenan actitudes crueles hacia los demás expresadas de diversas formas: chisme, exclusión, discusión innecesaria, mal humor, difamación, acoso. Estos son solo algunos de los ejemplos de como los seres humanos expresamos crueldad entre nosotros en la vida diaria. Un examen somero de la historia de los crímenes cometidos semanalmente en cualquier ciudad nos muestra que la capacidad de crueldad hacia los demás no tiene límites. Esto implica que despersonalizamos a quien es objeto de nuestra crueldad, reduciendo al ser humano y considerándolo menos que eso.

Aun cuando cada uno tiene un inmenso deseo de que los demás reconozcan nuestra singularidad como seres humanos y nos traten acorde, con frecuencia nosotros ignoramos la dimensión humana en los demás y los tratamos conforme a la función que desempeñan en nuestra vida. ¿Tratas a quien te sirve en un restaurante como una persona o como un mesero? ¿Alguna vez te pones a pensar en lo que está pasando en la vida de esa persona? Sus notas pueden estar viéndose afectadas porque tiene que trabajar largas horas para poder pagar la universidad y no le queda tiempo para estudiar. Puede ser que ella haya estado esperando y haya enfrentado una pérdida. O él, quizás acaba de enterarse que su padre tiene cáncer. Pero más que nada, como nos pasa a nosotros de vez en cuando, es posible que ella se sienta desanimada sin alguna razón en particular. Tratar a la gente de acuerdo a su función en lugar de tratarla como seres humanos es una artimaña y una sutil forma de crueldad.

Jesús no valoraba a las personas de acuerdo a su función. Por eso encontramos tantos personajes socialmente marginados como protagonistas de muchas de las historias del Evangelio. Él no trató a la prostituta como una prostituta; la trató como un ser humano con características únicas creado a imagen de Dios. No redujo al cobrador de impuestos a su función, tratándolo como un recaudador fiscal. No trató al samaritano como tal. No trató a la adúltera como una adúltera ni al ladrón como un ladrón.

Jesús no consideró al hombre que lo azotaba como una bestia cruel y enfurecida. Lo consideraba un ser humano, único y maravillosamente creado. Tenía una perspectiva integral. Quizás lo vio como un hombre desesperado, atrapado por un sistema brutal, tratando de mantener a su esposa y a sus hijos, luchando por sobrevivir en una cultura hostil, impersonal y cruel, especialmente para aquellos que no gozan de poder, dinero, rango o estatus.

Ahora considera esto: ¿quién es la persona a la que más has amado en tu vida? Jesús amó al hombre que lo azotó mucho más. Jesús lo amó más de lo que tú y yo hemos amado a alguien.

ORACIÓN

Con estas inspiraciones en nuestra mente y en nuestro corazón, nos dirigimos a ti, Jesús, en oración.

Señor, enséñame a amar como tú. Son tantos los obstáculos que se interponen en el camino de amar como tú lo haces: mi egoísmo y mis inseguridades, mi orgullo y mi renuencia a perdonar, mi ira y mi envidia, mi codicia y mi pereza. Dame la gracia de orar y ayunar como nunca antes, para así apartar estas barreras y poder un día amar más y más como tú.

Ayúdame a que nunca juzgue o trate a cada quien como si fuera un objeto o lo reduzca simplemente a lo que hace, sino que por el contrario, vea a todas y cada una de las personas que cruzan mi camino como tú las ves.

Jesús, te ofrecemos esta década por el hombre que te azotó en aquella columna, hace tanto tiempo y en aquel sitio tan lejano. Oramos también por quien se sienta atrapado en un modo de vida autodestructivo, pecaminoso y que es fuente de dolor para los demás. Señor de la libertad, abre una puerta, quiebra una ventana, excava un túnel, haz que el muro se desplome, construye un puente, aparta el mar, labra un camino... y guía a todas y cada una de esas almas atrapadas a una vida nueva y mejor. Dales esperanza y satisface esa esperanza. Estamos dispuestos a ayudar; solo muéstranos cómo.

También te rogamos de forma especial por quien haya sido acusado injustamente y castigado por una falta que no cometió. Elévalos por encima de estas dolorosas circunstancias y protege sus corazones de alguna forma, para que no se vean endurecidos por la ira y el resentimiento. Tómalos en tus brazos y confórtalos en formas que van más allá de la imaginación humana. Despierta la consciencia de quien pueda enderezar las cosas ante la justicia, no importa cuánto tiempo ha pasado.

María, modelo de paciencia, nuestra impaciencia nos impide amar a los demás conforme a nuestra capacidad y a nuestro llamado. Instrúyenos en esa paciencia extraordinaria e inusual para que a ejemplo tuyo y de tu hijo, podamos amar a cada persona en su situación particular.

Amén.

EL TERCER MISTERIO DOLOROSO

La coronación de espinas

Fruto del misterio: La paciencia

Lectura del Evangelio según san Mateo

Los soldados se burlan de Jesús
Los soldados del gobernador llevaron a Jesús al pretorio y reunieron en torno a él a toda la tropa. Lo desnudaron y le echaron por encima un manto de color púrpura; trenzaron una corona de espinas y se la pusieron en la cabeza y una caña en su mano derecha; luego se arrodillaban ante él y se burlaban diciendo:

—¡Salve, rey de los judíos!

Le escupían, le quitaban la caña y lo golpeaban con ella en la cabeza.

Mateo 27,27-30

REFLEXIÓN

Hoy día parece que estamos dispuestos a hacer lo que sea con el fin de evitar el dolor y el sufrimiento. Pero no Jesús. Él asumió cada experiencia de dolor y sufrimiento. ¿Por qué esta gran diferencia entre el enfoque de Dios y el del mundo?

El mundo cree que el sufrimiento carece de sentido y, por tanto, debería ser evitado a toda costa. Dios cree que el sufrimiento tiene valor. Si el sufrimiento no tiene ningún valor, ¡qué desperdicio de vida!, pero si efectivamente lo tiene, el desperdicio sería aún mayor si no lo canalizamos hacia un propósito más grande.

Le pusieron una corona de espinas y con una caña martillaban la corona en su cabeza enterrando así las espinas en el cuero cabelludo. Él lo sintió todo. Lo aceptó todo. Lo asumió todo. Permitió que cada espina cada mofa, fortaleciera su resolución de llevar a cabo lo que le esperaba ese día en que el mundo se tornó oscuro y frío.

No necesitamos salir en busca de sufrimiento. Nos basta con el sufrimiento que inevitablemente surge en nuestras vidas. Pero empecemos a aprender de este sufrimiento de tal forma que se transforme en una fuente de crecimiento espiritual.

El sufrimiento abarca todo un espectro. En un extremo tenemos algo tan común como la inconveniencia. En el otro algo tan horrible como la muerte de un niño. Si nos compenetramos con aquellas experiencias menos relevantes en lugar de huir de ellas, si asumimos aquellos pequeños sufrimientos que son inevitables, permitimos que este duro aspecto inherente a la vida fortalezca nuestra voluntad para que seamos capaces de escoger lo que es bueno, verdadero y justo en los diferentes momentos de nuestra existencia. Esta práctica espiritual de asumir el sufrimiento nos prepara para los sufrimientos más profundos que podemos enfrentar en el futuro.

Mucho antes de que Jesús fuera arrestado en el huerto de Getsemaní, había estado preparándose para todo lo que ese arresto puso en marcha. Por treinta años antes de las bodas en Caná, se había estado preparando para el final. A través de su vida pública, sufrió de maneras que nunca sabremos, y que lo prepararon para esas quince horas que iniciaron con el arresto y culminaron con su muerte. El haber sido arrestado y humillado, atado a la columna y azotado, y coronado con espinas es poco comparado con lo que yacía adelante, y aún así, esas cosas lo prepararon y lo fortalecieron espiritualmente para acometer plenamente su misión.

Este es el salvador del mundo. Vean cómo lo hemos tratado. Lo hemos ignorado, humillado, nos hemos burlado de él, hemos flagelado su carne, le hemos escupido, le hemos enterrado espinas en el delicado cuero cabelludo, y con todo y eso, no habíamos acabado.

Esa corona de espinas incrustada en su cabeza. Yo lo hice. Esto no es gazmoñería, sé que es cierto. Mis acciones personales lo llevaron al sufrimiento de su propia persona.

Y hoy continuamos lastimándolo; de pensamiento, palabra, obra u omisión. Sí, lo seguimos haciendo, y no solo a Jesús, sino a los demás. ¿Por qué? Esta es la gran verdad que no se dice; porque amamos este mundo, amamos algunos de nuestros pecados, y nos hemos hecho adictos al confort. Amamos todo esto más que a Dios, más que a nosotros mismos y más que a la gente que más amamos.

¿Conoces a alguien que realmente haya cambiado su vida? No sucede muy frecuentemente. La gente cambia a pequeña escala, o quizás reforma un aspecto de su vida. No obstante, Jesús nos invita a una transformación radical. La mayoría de la gente no lo cree posible ni se considera capaz de hacerlo. Muéstraselos. ¿Por qué no eres tú el que les muestre que sí es posible?

ORACIÓN

Con estas inspiraciones en nuestra mente y en nuestro corazón, nos dirigimos a ti, Jesús, en oración.

Señor, sufriste para que pudiéramos tener vida y vida en abundancia. Llénanos de una gratitud profunda por todo lo que has hecho por nosotros e inspíranos para mostrar nuestra gratitud al vivir una vida plena.

Así como tú sufriste para que pudiéramos tener una vida más abundante, llénanos con el deseo de hacer sacrificios para que otros vivan con mayor plenitud. Libéranos de nuestro apego a la comodidad para que podamos ayudar a otros a vivir en la dignidad del trabajo, en un hogar limpio y seguro, con alimentos que nutran la mente, el cuerpo y el alma. Si ceder algo de nuestro confort es suficiente para llevar dignidad a los que viven al margen de la sociedad, ¿por qué seguimos esperando?

Señor, ayúdanos a dejar de confundir nuestros deseos con nuestras necesidades. Posibilita que nos demos cuenta de que hay un orden en todo lo que haces. Ayúdanos a ver claramente que las necesidades son primordiales y los deseos son secundarios, no importa si esas necesidades son las nuestras o las de alguien más.

Jesús, te ofrecemos esta década por los que sufren innecesariamente, ya sea física, mental o espiritualmente. Danos el coraje de salir de nuestra zona de confort para hacer todo lo que podamos con lo que tenemos y donde estemos, y estimular a otros a hacer lo mismo.

María, ayúdanos a que podamos ocasionalmente poner de lado nuestra comodidad y conveniencia y colocar las necesidades de otros antes que nuestros deseos.

Amén.

EL CUARTO MISTERIO DOLOROSO

El camino al Calvario cargando la cruz

Fruto del misterio: La valentía para enfrentar la injusticia

Lectura de los Evangelios según san Mateo y san Lucas

Jesús es traicionado

Mientras tanto, Judas, el traidor, al ver que habían condenado a Jesús, sintió remordimiento y devolvió las treinta monedas de plata a los jefes de los sacerdotes y a los ancianos diciendo:

—He pecado entregando a un inocente.

Ellos contestaron:

—A nosotros qué nos importa? Allá tú.

Entonces Judas, arrojando en el templo las monedas, se retiró, luego fue y se ahorcó.

Cuando llevaban a Jesús para crucificarlo, detuvieron a un tal Simón de Cirene, que venía del campo, y le cargaron la cruz para que la llevara detrás de Jesús. Lo seguía una gran multitud del pueblo, y de mujeres que se golpeaban el pecho y se lamentaban por él. Jesús se dirigió a ellas y les dijo:

—Mujeres de Jerusalén, no lloren por mí; lloren más bien por ustedes y por sus hijos. Porque vendrán días en que se dirá: «Dichosas las estériles, los vientres que no engendraron y los pechos que no amamantaron». Entonces se pondrán a decir a las montañas: «Caigan sobre nosotras»; y a las colinas: «¡Aplástennos!». Porque si esto hacen con el leño verde, ¿qué harán con el seco?

Mateo 27,3-5; Lucas 23,26-31

REFLEXIÓN

Las Escrituras nos invitan a profundizar en cada historia que leemos o reflexionamos. Consideremos a Judas por un momento. ¿Es simplemente el villano del Evangelio? ¿Has aprendido en alguna ocasión algo de él? ¿Alguna vez has considerado los eventos desde su punto de vista? ¿Eres de algún modo semejante a Judas?

Es una tragedia que Judas haya traicionado a Jesús, pero no simplemente por las razones obvias. Es también una tragedia que Jesús haya perdido a uno de sus discípulos. Imagínate lo que significó eso para Jesús. Judas había sido escogido como uno de los doce que irían y cambiarían el mundo.

Me pregunto cómo se conducía Judas en los días que precedieron a la traición. ¿Habrá empezado a distanciarse de los otros discípulos? ¿Estaría pasando un tiempo con viejos amigos en Jerusalén? ¿Habrá empezado a aislarse de todo y de todos? ¿Habrá dicho algo que les diera indicios a los discípulos respecto a lo que estaba pensando?

Estaban tan acostumbrados a estar juntos. Tal vez Santiago y Juan pensaron que él estaba con Pedro y Mateo, y quizás Pedro y Mateo pensaron que estaba con otros de los discípulos. Entonces Judas se debe haber sentido totalmente solo y debe haberlo estado. Pero ¿por qué lo hizo? ¿Se alejaba Jesús tanto de la visión que él tenía del Mesías? ¿No recibía suficiente atención? ¿Sentía que debía tener un rol de mayor liderazgo entre los discípulos? ¿Estaba exhausto de la vida en el misterio, seducido por las cosas mundanas? ¿Cómo se traicionó Judas a sí mismo?

Todo pecado deja una estela de preguntas sin responder. Cualquiera que haya sido la razón, Judas se traicionó a sí mismo, quebrantó su corazón y se quitó la vida, quebrantando una vez más el corazón de Jesús.

●●●●●●●

Ahora estamos siguiendo a Jesús que va con la cruz a cuestas. Vemos su rostro y la profundidad de su mirada y nos preguntamos cómo es que sigue vivo, y en ese momento colapsa. Simón de Cirene fue abordado por los guardas y entonces le ayuda a Jesús a cargar la cruz como que si él mismo fuera un criminal.

El rosario es siempre nuevo porque las situaciones y los misterios que contemplamos tienen un sinfín de dimensiones que considerar.

Me pregunto quién hizo la cruz de Jesús. Simplemente estaba haciendo su trabajo para mantener a su familia. ¿Habrá sabido que era para Jesús? ¿Qué sentimientos habrán surgido en él mientras la construía? ¿Se habrá sentido culpable o habrá sido totalmente inconsciente? ¿O tal vez con el transcurrir de los días y de las semanas, su rol en la crucifixión lo llevó a pensar en Jesús y en quién realmente era él y eventualmente se convirtió al cristianismo? No lo sabemos.

El punto es, alguien hizo la cruz de Jesús. Pero no fue simplemente el carpintero con sus herramientas y sus manos; la hicimos nosotros con nuestros pecados.

ORACIÓN

Con estas inspiraciones en nuestra mente y en nuestro corazón, nos dirigimos a ti, Jesús, en oración.

Señor, ayúdame a llevar mi cruz con dignidad y por tu gracia, sabiendo que tú soportas la carga conmigo.

Libérame del egoísmo de buscar constantemente mi propia comodidad. Abre mis ojos a nivel espiritual para que reconozca que la cruz en todas sus formas me ayuda a convertirme en la mejor versión de mí mismo.

Jesús, te ofrecemos esta década por todos los que sufren fruto de cualquier forma de injusticia. Nosotros como seres humanos hemos ideado tantas maneras de tratar mal a los demás y de ser injustos y crueles. Ayúdanos a buscar la justicia para nosotros mismos y para otros, aun cuando conlleve un alto costo a nivel personal. También te pedimos de forma particular por los que padecen de enfermedades mentales. Muchos de nosotros nunca entenderemos su cruz; por favor concédenos la gracia de ser afables y gentiles con ellos.

María, ¿qué pensamientos cruzaban tu mente ese día? ¿Qué sentías? ¿Y esas imágenes continuaban apuñalando tu corazón por el resto de tu vida? ¿Te despertabas sudando en medio de la noche aterrada al revivir esos momentos en pesadillas? Ruega por nosotros, María. Enséñanos a sobrellevar, en actitud orante, el sufrimiento que no podemos evitar y a confortar a aquellos que sufren.

Amén.

EL QUINTO MISTERIO DOLOROSO

La crucifixión de Jesús

Fruto del misterio: La redención

Lectura del Evangelio según san Lucas

Jesús es crucificado

Llevaban también con él a otros dos malhechores para ejecutarlos. Cuando llegaron al lugar llamado La Calavera crucificaron allí a Jesús y también a los malhechores, uno a la derecha y otro a la izquierda. Jesús decía:

—Padre, perdónalos, porque no saben lo que hacen.

Después sortearon su ropa y se la repartieron. El pueblo estaba allí mirando. Las autoridades, por su parte, se burlaban de Jesús y comentaban:

—A otros ha salvado, ¡que se salve a sí mismo, si es el Mesías de Dios, el elegido!

También los soldados se burlaban. Se acercaban a él para darle vinagre y decían:

—Si tú eres el rey de los judíos, ¡sálvate a ti mismo!

Habían puesto sobre su cabeza una inscripción que decía: «Este es el rey de los judíos».

Uno de los malhechores crucificados lo insultaba diciendo:

—¿No eres tú el Mesías? Pues, sálvate a ti mismo y a nosotros.

Pero el otro intervino para reprenderlo diciendo:

—¿Ni siquiera temes a Dios tú, que estás en el mismo suplicio? Lo nuestro es justo, pues estamos recibiendo lo que merecen nuestros actos, pero este no ha hecho nada malo.

—Y añadió:

—Jesús, acuérdate de mí cuando vengas como rey.

Jesús le dijo:

—Te aseguro que hoy estarás conmigo en el paraíso.

Lucas 23,32-43

REFLEXIÓN

Cuando las personas dejan de pensar por sí mismas y en lugar de ello domina el pensamiento colectivo, el producto es generalmente inhumano. Eso nunca había sido tan evidente como en el caso de la condena, tortura, ejecución y muerte de Jesús.

Detente a pensar por un instante en el dolor de un clavo que penetra la muñeca, y eso fue solo una ínfima parte de la pasión de nuestro Señor. El sufrimiento nos recuerda, quizá más que cualquier otra cosa, que los caminos de Dios no son los nuestros. Vivimos en una cultura secular que menosprecia el sufrimiento y lo considera sin valor alguno, por tanto, proclama que debe ser evitado a toda costa. Como resultado constantemente nos recetan analgésicos para el dolor en forma de píldoras, productos, experiencias y distracciones.

El mundo tiene su propio evangelio. El mensaje del mundo es incompleto, y nada constituye mejor evidencia de ello que la incapacidad del mundo para darle sentido al sufrimiento. El mundo no puede darle sentido al sufrimiento porque lo considera sin valor. El mundo no tiene respuesta para lo ineludible, lo inevitable y lo inexorable que sucede en nuestras vidas. Sencillamente no tiene respuestas ante el sufrimiento.

En el meollo del dilema que enfrenta el evangelio del mundo se encuentra la inhabilidad para darle sentido a la muerte. Nos anima a vivir en negación, como que si la muerte no existiera, lo cual posiblemente es el culmen de la locura propuesta por este falso evangelio.

Jesús tiene una respuesta para todo. En el Antiguo Testamento el sufrimiento se presenta generalmente como consecuencia del pecado; el sufrimiento era el resultado de haber ignorado las enseñanzas divinas. En algunos casos, el castigo se presentaba como causado por Dios como un resultado directo del pecado de la humanidad. En el Nuevo Testamento, Jesús anuncia valerosamente con sus palabras y acciones que el sufrimiento tiene valor. El sufrimiento tiene el potencial de transformarnos en personas de amor. Es la puerta que nos conduce a una dimensión mucho más alta a nivel espiritual. La salvación y el sufrimiento de Jesús son inseparables. Entonces, ¿qué puede tener un sentido más profundo que el sufrimiento?

¿Qué esperaba lograr Jesús al morir en la cruz? ¿Qué sueños lo alentaron y le dieron el coraje y la perseverancia para pasar por todo eso? Presumo que sus esperanzas y sus sueños eran muchos y muy bellos. Consideremos uno. Esperaba que su vida y su muerte cambiaran lo que la gente situaba en el centro de su vida. ¿Qué hay en el centro de tu vida? ¿Dinero, sexo, comida, drogas, compras, imagen, ego, control? ¿O la inaudita generosidad, servicio y amor a Dios y al prójimo que Jesús ha propuesto?

Alguien me dijo que una vez en que te encuentras en deuda, esa clase de deuda que sabes que nunca estarás en capacidad de pagar, experimentas una sensación constante de ahogo, como que si no puedes respirar. En el plan de Dios todo tiene un momento y un lugar, y toda deuda en el universo necesita ser saldada eventualmente. Ese día, hace dos mil años fue el momento, y el Calvario fue el lugar donde Jesús decidió saldar nuestras deudas.

Y por supuesto, la respuesta de Jesús a la muerte es la resurrección, la redención y la vida eterna.

ORACION

Con estas inspiraciones en nuestra mente y en nuestro corazón, nos dirigimos a ti, Jesús, en oración.

Señor, tú nos das y tomas de acuerdo con nuestras necesidades y tu sabiduría. Ese día tan oscuro diste tu vida para que pudiéramos empezar de nuevo, para darnos un nuevo punto de partida y para brindarnos una fuente maravillosa de gracia y de misericordia inagotable.

Danos sabiduría, Jesús, para usar la mente que nos has dado y pensar por nosotros mismos; enséñanos a formar y a escuchar nuestra consciencia, a evitar el razonamiento de las masas y a llenarnos de coraje para no comportarnos como marionetas sino para defender la justicia.

Al enfrentar el sufrimiento ayúdanos a ofrecerlo por intenciones que valgan la pena. No permitas nunca que desaprovechemos el sufrimiento atrapados en un sentimiento de lástima por nosotros mismos.

Jesús, te ofrecemos esta década por todos los que están sufriendo físicamente hoy. Te pedimos que los llenes con la insólita gracia que les es necesaria para ver y experimentar el sufrimiento como un camino que los acerca a ti. Oramos por todos aquellos que nos han agraviado y por todos aquellos a los que hemos agraviado. Te pedimos de manera particular por todos los que morirán hoy. Acógelos en tu mano en su transición de esta vida a la próxima, y conforta a sus seres queridos de la misma forma en que confortaste a tantas personas mientras caminabas sobre la faz de la tierra.

María, ruega por nosotros y enséñanos a confiar en tu hijo.

Amén.

Los misterios gloriosos

La resurrección

Fruto del misterio: La fe

La ascensión

Fruto del misterio: Desear el cielo

La venida del Espíritu Santo

Fruto del misterio: La amistad con el Espíritu Santo

La asunción

Fruto del misterio: Envejecer y morir en gracia

La coronación de la Virgen María

Fruto del misterio: Una verdadera devoción a María

EL PRIMER MISTERIO GLORIOSO

La resurrección

Fruto del misterio: La fe

Lectura del Evangelio según san Mateo

La resurrección de Jesús

Pasado el sábado, al alba del primer día de la semana, María Magdalena y la otra María fueron a visitar el sepulcro. De pronto hubo un gran temblor. El ángel del Señor bajó del cielo, se acercó, rodó la piedra del sepulcro y se sentó en ella. Su aspecto era como el del relámpago y su vestido blanco como la nieve. Al verlo, los guardias se pusieron a temblar y se quedaron como muertos. Pero el ángel se dirigió a las mujeres y les dijo:

—Ustedes no teman; sé que buscan a Jesús, el crucificado. No está aquí, ha resucitado como lo había dicho. Vengan a ver el sitio donde estaba puesto. Vayan en seguida a decir a sus discípulos: Ha resucitado de entre los muertos y va camino de Galilea; allí lo verán. Eso es todo.

Ellas salieron rápidamente del sepulcro y, con temor, pero con mucha alegría, corrieron a llevar la noticia a los discípulos. Jesús salió a su encuentro y las saludó.

Ellas se acercaron, se echaron a sus pies y lo adoraron. Entonces Jesús les dijo:

—No teman; digan a mis hermanos que vayan a Galilea; allí me verán.

Mateo 28,1-10

REFLEXIÓN

Buscando en todos los lugares incorrectos

Dios realiza su obra maravillosa en medio de nuestra más intensa oscuridad. Es cuando nuestros corazones están quebrantados que Dios hace su mejor trabajo. ¿Cómo se sentirían los discípulos ese viernes por la noche? Derrotados y sin esperanza alguna. Perdidos y confusos. Consumidos por una oscuridad que los envolvía. ¿Y cómo se sentirían el sábado? Descorazonados quizás. Se dice que nunca está más oscuro que cuando va a amanecer, y es usualmente en nuestros momentos más oscuros que Dios con frecuencia nos prepara para hacer su obra magna. Ciertamente así sucedió la mañana del domingo.

Reflexionando sobre mi pasado puedo verlo una y otra vez. Yo buscaba toda clase de cosas en los lugares equivocados. Aquí nos encontramos a las mujeres que amaron a Jesús y que cuidaron de él a lo largo de su vida pública, buscándolo en los sitios donde no estaba.

Lo interesante es que Jesús lo había dejado en claro. Metafóricamente había dicho: «Destruyan este templo y en tres días lo levantaré». Le estaba diciendo a sus seguidores y a toda la gente dispuesta a escucharlo que en tres días él resucitaría de entre los muertos. Era el tercer día, ¿por qué estaban tan sorprendidos? ¿No creían en él? Y aun cuando no le hubieran entendido a Jesús cuando en ese entonces lo dijo, ¿cómo era posible que ahora, a la luz de la realidad de la resurrección, aún no lo comprendieran?

Cualquiera que sea el caso, parece que desde los inicios la humanidad ha estado buscando el amor y la felicidad en los lugares donde no pueden encontrarse. ¿Y nosotros, estamos buscando la vida en abundancia en los lugares erróneos?

Ahora situémonos ahí, en Jerusalén ese domingo por la mañana. Imagínate con qué rapidez corrió la voz. Imagínate las muchas versiones que circulaban de la historia. La ciudad rebosaba de emoción como nunca antes: gozo, ira, temor, confusión, ansiedad, frustración, furor, indiferencia, odio y demás.

¿Qué habrán sentido los fariseos cuando escucharon por primera vez lo sucedido? ¿Qué impacto tuvo en Pilato? ¿Tenían miedo los hombres que lo torturaron y lo ejecutaron que regresara para vengarse? Y sin duda muchos continuaron con sus vidas como que si nada especial hubiera sucedido, pensando que simplemente se trataba de un hombre cualquiera y aceptando la historia de que sus seguidores habían tomado su cuerpo.

Definitivamente debía haber sido una mañana de domingo muy particular. La ciudad habría estado inundada de emoción y habladurías; no obstante, muy pocos, si no ninguno, habrían reconocido que este era el evento principal de la historia de la humanidad. Jesús había resucitado de entre los muertos.

Ese día, sin lugar a dudas, muchos lo ignoraron, muchos otros dudaron, lo rechazaron, o se mostraron escépticos o cínicos. Este tipo de gente ha existido en todo momento, incluso hoy, pero los ves divagando por la vida confundidos. Es simplemente imposible darle sentido a la vida y a la historia sin reconocer la resurrección.

Tú y yo andamos recorriendo las calles de Jerusalén, escuchando a la gente hablar sobre lo sucedido ese domingo por la mañana. ¿Creemos? ¿Dudamos? ¿Andamos demasiado ocupados en los asuntos urgentes de nuestra vida como para que siquiera nos importe?

Seguimos caminando y decidimos visitar la tumba. El lugar está abarrotado y los guardas tratan de mantener a la gente al margen. Sin embargo, nos quedamos ahí quietos y en silencio por unos minutos. ¿Qué significa todo esto?

Ahora retornando al momento presente, ¿qué aspectos de tu vida necesitan resurrección? ¿Deseas que Jesús resucite esa área de tu vida? ¿O estás atado a la disfunción y a la autodestrucción?

Es hora de vivir en el Señor resucitado. Cuando lo hacemos, experimentamos una vida plena, gozo y éxtasis, desprendimiento de los problemas pasajeros de este mundo y la confianza de que en último término, la verdad y la bondad prevalecerán.

En la tarde del viernes clavaron la verdad y la bondad a un madero. Pero el domingo por la mañana la verdad resucitó de entre los muertos. No puedes matar la verdad y la bondad. Puedes ponerla en una tumba, pero no permanecerán ahí.

ORACIÓN

Con estas inspiraciones en nuestra mente y en nuestro corazón, nos dirigimos a ti, Jesús, en oración.

Señor desencadena el poder de la resurrección en mi vida actual. Resucita el área de mi existencia que lo necesita más. Ayúdame a dejar de resistirme a tu gracia y a seguir tus caminos y actúa en mí y a través de mí de cualquier forma que desees.

Tu resurrección demanda una respuesta, Jesús. Has conquistado la muerte y el odio con tu amor. De algún modo, aunque pequeño, enséñanos a hacer lo mismo en nuestra propia vida. Danos el coraje de amar cuando nos rechazan, nos desprecian, nos odian o nos ignoran, cuando somos objeto de acoso o de abuso o cuando no somos apreciados o tratados conforme a nuestra valía.

Gracias, Jesús, gracias. Ruego que nunca deje pasar un día sin pronunciar estas palabras.

Jesús, te ofrecemos esta década por todos los que han perdido la fe en ti, y por aquellos que nunca han tenido un encuentro contigo como para acogerte en sus vidas. Te rogamos que nos perdones por cualquier cosa que hayamos hecho que haya sido un impedimento para que alguien te conociera y te amara.

María, enséñanos a creer en tu hijo, y a confiar en que sus acciones siempre son para nuestro bien.

Amén.

EL SEGUNDO MISTERIO GLORIOSO

La ascensión

Fruto del misterio: Desear el cielo

Lectura de los Hechos de los Apóstoles

La ascensión de Jesús

Los que lo acompañaban le preguntaron:

—Señor, ¿vas a restablecer ahora el reino de Israel?

Él les dijo:

—No les toca a ustedes conocer los tiempos o momentos que el Padre ha establecido con su autoridad. Ustedes recibirán la fuerza del Espíritu Santo; él vendrá sobre ustedes para que sean mis testigos en Jerusalén, en toda Judea, en Samaria y hasta los extremos de la tierra.

Después de decir esto, lo vieron elevarse, hasta que una nube lo ocultó de su vista.

Cuando estaban mirando atentamente al cielo mientras él se iba, se acercaron dos hombres con vestidos blancos y les dijeron:

—Galileos, ¿por qué se han quedado mirando al cielo? Este Jesús, que de entre ustedes ha sido llevado al cielo, vendrá de la misma manera que lo han visto irse.

Hechos 1,6-11

REFLEXIÓN

Los enemigos de Jesús

Toda historia tiene dos caras. Cuando llevaron a Jesús ante Pilato pensaron que eso era todo. Cuando vieron que lo estaban azotando, pensaron que ningún hombre podía soportar eso y sobrevivir, pero él lo hizo. Al coronarlo de espinas, se burlaron de él porque pensaban que no podía haber represalia alguna.

Cuando lo enviaron al Gólgota con una cruz a cuestas, celebraron que todo se estaba dando conforme a sus deseos. Cuando lo clavaron en la cruz, pensaron que se habían desecho de él para siempre. Cuando él murmuraba en la cruz, pensaron que estaba demente. Y cuando él gritaba en la agonía que siente un hombre cuando la muerte se avecina, pensaron que habían ganado.

Pero lo que pensaban que era el fin era solo el principio.

Cuando la tumba quedó vacía, reclamaron que era un fraude. Cuando se dieron cuenta de la verdad sintieron miedo. Cuando él comenzó a aparecérsele a la gente, su ilusión se derrumbó. Cuando sus seguidores se levantaron y con gran paz comenzaron a contar la historia dondequiera que la gente escuchara, su temor se acrecentó.

Cuando asediaron a sus seguidores y no encontraron más que paz en ellos, quedaron perplejos. Al ver que las comunidades vivían con amor, respeto, bondad, compasión y generosidad, se sintieron totalmente desconcertados. Y cuando al enfrentar la muerte sus seguidores mostraron esperanza en lugar de temor, quedaron intrigados y sorprendidos.

Toda historia tiene dos perspectivas. ¿Cuál de las dos es la tuya?

¿Qué significa ascender? Significa elevarse. Los cristianos estamos llamados todos los días a elevarnos por encima de las situaciones. Lo opuesto de ascender es descender. El mundo nos invita a descender a la peor versión de nosotros mismos. Pero cada día estamos llamados a ascender y llegar a ser nuestra mejor versión.

Ahora, posiciónate ahí con los discípulos mientras Jesús se despide y los envía a cambiar el mundo. Tras cuarenta días de comer y beber con sus discípulos, Jesús asciende en cuerpo y alma al cielo.

Jesús hizo exactamente lo que dijo que haría. Fue un hombre de palabra. ¿Por qué entonces con tanta frecuencia, ignoramos y dudamos de sus palabras?

Dijo también que retornaría un día. ¿Piensas en eso alguna vez? Imagínate si viniera hoy. ¿Estás listo? ¿Lo reconoceríamos? El pueblo escogido de Dios no lo reconoció la primera vez. ¿Lo reconoceríamos esta segunda vez?

ORACIÓN

Con estas inspiraciones en nuestra mente y en nuestro corazón, nos dirigimos a ti, Jesús, en oración.

Señor, danos el coraje de tomarte la palabra y de tomar tu palabra seriamente. Ayúdanos a resistir la tentación de reducir tus palabras o de pretender que son cualquier otra cosa menos una invitación radical a cambiar nuestra vida.

Jesús, enséñanos a ascender por encima de la mediocridad, de la pereza, del engaño a nosotros mismos, de la postergación, del temor, de la duda, del deseo de satisfacernos inmediatamente, del sabotaje a nuestro propio ser, de la indecisión, de la evasión, del rechazo propio, del orgullo y del egoísmo.

Nos resolvemos hoy, Señor, a escuchar atentamente las palabras del Evangelio y a tratar más arduamente que nunca de ponerlas en práctica en nuestra vida.

Jesús, te ofrecemos esta década por nuestra tierra natal y por su gente. Bendice nuestra patria con fe y valores que ayuden a ascender a todos los ciudadanos. Te rogamos de forma particular por todos los que viven en un país distinto de su patria, especialmente por aquellos que se han visto forzados a reubicarse en contra de su voluntad. Libera a todos los hombres y mujeres, en todos los países, del prejuicio en contra del inmigrante y del extraño. Haznos recordar que todos somos inmigrantes en este planeta, que vamos de paso, como peregrinos en ruta hacia nuestro verdadero hogar contigo en el cielo.

María, por favor ruega para que podamos liberarnos de todo prejuicio mezquino que hemos dejado que impere en nuestro corazón, en nuestra mente y en nuestra vida.

Amén.

EL TERCER MISTERIO GLORIOSO

La venida del Espíritu Santo

Fruto del misterio: La amistad con el Espíritu Santo

Lectura de los Hechos de los Apóstoles

La venida del Espíritu Santo

Al llegar el día de Pentecostés, estaban todos juntos en el mismo lugar. De repente vino del cielo un ruido, semejante a una ráfaga de viento impetuoso, y llenó toda la casa donde se encontraban. Entonces aparecieron lenguas como de fuego, que se repartían y se posaban sobre cada uno de ellos. Todos quedaron llenos del Espíritu Santo y comenzaron a hablar en lenguas extrañas, según el Espíritu los movía a expresarse.

Se encontraban por entonces en Jerusalén judíos piadosos venidos de todas las naciones de la tierra. Al oír el ruido, acudieron en masa y quedaron desconcertados, porque cada uno los oía hablar en su propia lengua. Todos, sorprendidos y admirados, decían:

—¿No son galileos todos los que hablan?

Entonces, ¿cómo es que cada uno de nosotros los oímos hablar en nuestra lengua materna?

Hechos 2,1-8

REFLEXIÓN

¿A qué le temes?

Los discípulos tenían miedo. La mayoría de nosotros posiblemente nunca hemos experimentado un miedo como el que se había apoderado de ellos. Temían por sus vidas, temían que la muchedumbre los matara, sí, pero también tenían miedo de lo que pudiera esperarles a ellos en su camino. ¿Qué harían ahora que Jesús había partido?

Entonces el Espíritu Santo descendió sobre ellos y los transformó. Sus temores se desvanecieron y se llenaron de coraje. Esta es la mayor diferencia entre el antes y el después que se haya visto jamás.

Imagínate tú allí, en el cenáculo. Hay un silencio sobrecogedor. El temor es patente. En ese momento el viento comienza a soplar y las persianas de las ventanas traquetean. El viento se torna huracanado y ahora las persianas tiemblan tan aceleradamente que parece que en cualquier momento se desprenderán y alzarán vuelo perdiéndose en la oscuridad de la noche. Pero de un momento a otro una paz increíble desciende a la habitación y llena a los discípulos, haciéndoles recordar la paz que experimentaron ese primer día cuando decidieron seguir a Jesús. Tú también sientes esta paz y quieres aferrarte a ella para que nunca te deje. En ese momento los discípulos comienzan a agitarse y se levantan con un nuevo sentido de urgencia. El contraste deslumbra. Hacía unos minutos estaban paralizados de temor; ahora se sentían animados con una energía y un coraje nunca visto. Empezaron a salir del cenáculo, pero tú permaneces allí sentado. ¿Deberías irte con ellos? ¿Deberías quedarte en el mismo sitio? ¿Deberías regresar a tu vida ordinaria y pretender que nunca fuiste parte de esa experiencia?

Todos necesitamos lo que suelo llamar un momento pentecostal, ese momento en que las cosas te hacen clic y el genio del catolicismo cobra sentido para nosotros. Para algunos es un libro, para otras es un retiro o una peregrinación. Hay millones de católicos bautizados y de cristianos no-católicos que no han tenido un momento pentecostal. Tú y yo estamos llamados a colaborar con Dios y a ser facilitadores de esta experiencia.

Sin embargo, nuestra transformación no ocurre en un solo momento. Ese es solo el comienzo, la sacudida que nos hace ver que andamos dormidos por la vida y nos despierta a nuevas posibilidades.

Ahora necesitamos una conversión diaria para expulsar nuestro egoísmo del corazón, de la mente, del cuerpo y del alma. No obstante, ponemos resistencia a la conversión de nuestra persona, en la mejor versión de nosotros mismos. Nos resistimos a las mismas cosas que nos hacen felices. Esta es la gran paradoja, el gran absurdo de nuestra vida.

¿Por qué no nos rendimos de una vez por todas a Dios y le permitimos hacer grandes obras en nosotros y a través nuestro? ¿A qué le tememos?

ORACIÓN

Con estas inspiraciones en nuestra mente y en nuestro corazón, nos dirigimos a ti, Jesús, en oración.

Señor, envía de nuevo, en este momento, tu Santo Espíritu sobre nosotros. Libéranos de nuestros temores y danos el coraje de hacernos cien por ciento disponibles a ti.

Levanta más ministerios y discípulos dedicados a crear momentos pentecostales para los hombres, las mujeres y los niños que nunca han tenido la oportunidad de conocer realmente los sueños que tú tienes para sus vidas. Remueve de nosotros la falsa satisfacción que nos hace sentirnos cómodos con el mínimo esfuerzo y la mediocridad. Danos hambre por una misión. Abre nuestros ojos a ver las personas que alrededor nuestro se están ahogando, hundiéndose espiritualmente y danos el coraje para arrojarles un salvavidas.

Jesús, te ofrecemos esta década del rosario como una oración que elevamos para que liberes un nuevo Pentecostés en la vida de millones de personas. Oramos por todos aquellos que experimentarán hoy un momento pentecostal en sus vidas. Hazles ver cuánto mejor serán sus vidas si te siguen, y dales el coraje de acoger esta oportunidad. Asimismo, te pedimos que renueves en nosotros el compromiso a la labor misionera. Finalmente te pedimos de forma particular por todo el que tenga una imagen corrupta de Dios. Sánalos para que descubran tu amor y providencia como nunca antes.

María, por favor ruega por nosotros para que aprendamos a escuchar la voz de Dios en nuestra vida, y que día tras día, esa voz se torne más clara. Enséñanos también a profundizar nuestra amistad con el Espíritu Santo.

Amén.

EL CUARTO MISTERIO GLORIOSO

La asunción

Fruto del misterio: Envejecer y morir en gracia

Lectura del libro de la Apocalipsis

Una mujer vestida de sol
Se abrió entonces en el cielo el templo de Dios y dentro de él apareció el arca de su alianza; y se produjeron relámpagos, fragor de truenos, un terremoto y un fuerte granizo.

Una gran señal apareció en el cielo: una mujer vestida de sol, con la luna bajo sus pies y una corona de doce estrellas sobre su cabeza. Estaba encinta y las angustias del parto le arrancaban gemidos de dolor.

Entonces apareció en el cielo otra señal: un enorme dragón de color rojo con siete cabezas y diez cuernos y una diadema en cada una de sus siete cabezas. Con su cola arrastró la tercera parte de las estrellas del cielo y las arrojó sobre la tierra.

Y el dragón se puso al acecho delante de la mujer que iba a dar a luz, con ánimo de devorar al hijo en cuento naciera. La mujer dio a luz un hijo varón, destinado a gobernar todas las naciones con cetro de hierro.

Apocalipsis 11,19; 12,1-5

REFLEXIÓN

La vida venidera
Hay otra realidad de la cual casi no sabemos nada. ¿Cómo es el cielo? La gente ha estado especulando por miles de años, pero

la verdad, nadie lo sabe. Sin embargo, es bueno pensar en ello de vez en cuando, teniendo presente que es infinitamente mejor de lo que podemos imaginarnos. San Pablo nos recuerda: «Ni ojo vio, ni oído oyó, ni pasó por el corazón del hombre, las cosas que Dios ha preparado para los que le aman» (1 Corintios 2,9). El cielo es más bello que lo más bello que jamás hayas visto. Sencillamente somos incapaces de concebir cuán magnífico el cielo es.

Uno de los peligros más grandes a nivel espiritual es el orgullo intelectual. Es tan fácil caer en la trampa de pensar que sabemos tanto, cuando en realidad aun aquellos que tienen gran conocimiento saben muy poco. Lo que no sabemos de Dios empequeñece lo que sí sabemos de él, y si nos referimos a la vida eterna sabemos aun menos.

El orgullo, la arrogancia y el ego pueden jugar un papel muy grande en nuestra vida y volverse grandes obstáculos que evitan que escuchemos la voz de Dios con claridad. Pero en María encontramos el antídoto para los tres: la humildad.

La humildad radical de María es una enciclopedia de lecciones sobre la vida interior. Imagínate cuán rica debe haber sido su vida interior. Imagínate lo que debe haber sido para los primeros cristianos haber buscado en ella consejo y guía. Luego, al final de su vida, María fue llevada en cuerpo y alma al cielo, y esa fue su recompensa por una vida vivida enteramente para Dios.

¿Qué te impide darte por completo a Dios? Es muy difícil hacerlo cuando todavía tienes fascinación por tus pecados, cuando estás obsesionado con lo que otros piensan acerca de ti, cuando quieres ser el que tiene el control. ¿Estás listo para rendirte de una vez por todas a Dios? ¿Cómo cambiaría tu vida si lo hicieras?

ORACIÓN

Con estas inspiraciones en nuestra mente y en nuestro corazón, nos dirigimos a ti, Jesús, en oración.

Señor, haznos anhelar el cielo. Ayúdanos a querer estar contigo más que cualquier otra cosa que el mundo pueda ofrecernos. Danos la gracia y el coraje para aspirar a una virtud heroica, a ser la mejor versión de nosotros mismos y a vivir vidas santas.

Jesús, te ofrecemos esta década por todas las personas que nunca han gozado de la dicha y el privilegio de conocerte a ti y a tu madre. Te pedimos de manera particular por los hombres y las mujeres de otras religiones; inspíralos a buscar rigurosamente la verdad sin ser presas del temor de dejarse llevar por ella hacia un nuevo destino.

María, haznos recordar que somos peregrinos en este mundo y enséñanos a envejecer y a morir en gracia.

Amén.

EL QUINTO MISTERIO GLORIOSO

La coronación de la Virgen María

Fruto del misterio: Una verdadera devoción a María

Lectura de la primera epístola de san Pedro

La corona de gloria que nunca se desvanece

Esta es la exhortación que dirijo a los responsables de sus comunidades yo, que comparto con ellos esa responsabilidad y soy testigo de los padecimientos de Cristo y partícipe ya de la gloria que está a punto de manifestarse: Apacienten el rebaño que Dios les ha confiado, no a la fuerza, sino con gusto, como Dios quiere; y no por los beneficios que pueda traerles, sino con ánimo generoso, no como déspotas con quienes les han sido confiados, sino como modelos del rebaño. Así, cuando aparezca el supremo pastor, recibirán la corona de la gloria que no se marchita. Del mismo modo, ustedes, jóvenes, respeten a los mayores. Sean humildes en sus relaciones mutuas, pues Dios se enfrenta a los soberbios, pero concede su favor a los humildes.

Así pues, humíllense bajo la poderosa mano de Dios, para que los exalte en su momento. Confíenle todas sus preocupaciones, ya que él se preocupa de ustedes.

Vivan con sobriedad y estén alerta. El diablo, su enemigo, ronda como león rugiente buscando a quien devorar. Háganle frente con la firmeza de la fe, sabiendo que sus hermanos dispersos por el mundo soportan los mismos sufrimientos.

Y el Dios te toda gracia, que los ha llamado a su eterna gloria en Cristo, después de un corto sufrimiento los restablecerá, los fortalecerá y los consolará. Suyo es el poder para siempre. Amén.

1 Pedro 5,1-11

REFLEXIÓN

Una bella perspectiva

La gloria de este mundo pasa, y pasa rápido. Y aún así con tanta frecuencia aspiramos a la gloria de este mundo fugaz con un abandono incauto. Muchos hombres y mujeres harían lo que fuera por lograr la gloria de este mundo.

Jesús nos invita a buscar la gloria eterna con la misma energía y afán. ¿Tienes mayor pasión y entusiasmo por las cosas de este mundo o por las del mundo venidero? ¿Te apasiona más acumular cosas en este mundo que ser sensible a las necesidades de los menos afortunados, aliviando el sufrimiento de los pobres y trabajando por erradicar la injusticia?

Dios nos invita a mirar todo en el contexto de la eternidad. Esa perspectiva es particularmente bella porque nos muestra el verdadero valor de las cosas. A un millonario no le importa un bledo su dinero si su hijo de cinco años tiene cáncer. Eso es tener perspectiva. Cuando el doctor te dice que tienes solo seis meses de vida, rápidamente desarrollas la claridad respecto a lo que tiene mayor y menor importancia. Eso es tener perspectiva.

La perspectiva te da la claridad que se necesita para tomar decisiones importantes.

La presencia de Jesús en su vida le permitió a María ver constantemente las cosas bajo la perspectiva del amor y de la eternidad. Si le pedimos que nos acompañe en nuestro peregrinar, ella compartirá esta perspectiva con nosotros y descubriremos el verdadero valor de las cosas.

A menos que permitamos que el amor reorganice nuestras prioridades, cuando nos llegue la muerte como nos sucede a todos eventualmente, nuestros corazones estarán llenos de pesar... y esa es una forma espantosa de morir.

María, el Padre, el Hijo y el Espíritu Santo se complacieron enormemente al ver tu coraje, tu fidelidad y tu humildad y ahora ellos te coronan como Reina del Cielo. Madre de Dios, no hay un título más grande en esta tierra y no hay criatura más maravillosa que tú. Reina del Cielo; aparte de Dios, no existe un título de mayor rango en el cielo.

María, quien es tu madre espiritual y la mía, es la mujer más conmemorada en la tierra y en el cielo.

¿Quién es más grande que María? Solo Dios.

ORACIÓN

Con estas inspiraciones en nuestra mente y en nuestro corazón, nos dirigimos a ti, Jesús, en oración.

Señor, abre cada día un poco más los ojos de nuestra alma para ver las cosas como son realmente. Reorganiza mis prioridades bajo la perspectiva del amor a Dios y al prójimo. Pon todo en mi vida en el contexto de los valores del Evangelio y de la eternidad para poder ver el valor real de las cosas.

Jesús, te ofrezco esta década en gratitud por este día y por todas las bendiciones que has derramado sobre mi vida. Perdóname por los momentos en que me he estancado en el egoísmo y he sido ingrato. Te doy las gracias particularmente por el don de la fe y por la gracia de rezar el rosario hoy. ¿Quién sabe dónde estaría y qué estaría haciendo sin tu llamada gentil y persistente para vivir una vida de virtud?

María, gracias por esta oportunidad de rezar contigo. Cúbreme bajo tu manto, y envuelve a toda la humanidad bajo su protección.

Amén.

PARTE
TRES

⑨

Un rosario escritural

A Un rosario escritural es muy simple. Consiste en versos individuales de la Biblia que se leen uno a la vez antes de cada avemaría. Cada verso se basa en el anterior, revelando la historia detrás del misterio que estamos contemplando.

Dios nos habla a través de la Biblia. El rosario escritural nos instruye sobre los momentos más importantes de la vida de Jesús. El ver estos increíbles acontecimientos desplegarse un verso a la vez puede ser muy inspirador.

Ya sea que el rosario sea nuevo para ti o que lo hayas estado rezando toda tu vida, puede que encuentres que la modalidad del rosario escritural es vivificante. Sucede para unos y para otros no, y eso está bien. No todo tiene que ser para todos.

Los misterios gozosos

La anunciación

Padre nuestro...

1. Al sexto mes, envió Dios al ángel Gabriel a una ciudad de Galilea llamada Nazaret, a una virgen desposada con un varón llamado José, de la descendencia de David *(Lc 1,26s)*.

Dios te salve, María...

2. La virgen se llamaba María *(Lc 1,27)*.

Dios te salve, María...

3. El ángel entró donde estaba María y le dijo:
   —Dios te salve, llena de gracia, el Señor es contigo *(Lc 1,28)*.

Dios te salve, María...

4. Al oír estas palabras, ella quedó desconcertada y se preguntaba qué significaba tal saludo *(Lc 1,29)*.

Dios te salve, María...

5. El ángel le dijo:
   —No temas María, porque has hallado gracia delante de Dios *(Lc 1,30)*.

Dios te salve, María...

6. —Concebirás y darás a luz un hijo, al que pondrás por nombre Jesús *(Lc 1,31)*.

Dios te salve, María...

7. María dijo al ángel:
—¿De qué modo se hará esto, pues no conozco varón? *(Lc 1,34)*.

Dios te salve, María...

8. El ángel le contestó:
—El Espíritu Santo vendrá sobre ti y el poder del Altísimo te cubrirá con su sombra; por eso el que va a nacer será santo y se llamará Hijo de Dios *(Lc 1,35)*.

Dios te salve, María...

9. Luego María dijo:
—He aquí la esclava del Señor, hágase en mí según tu palabra *(Lc 1,38)*.

Dios te salve, María...

10. Y la palabra de Dios se hizo carne y habitó entre nosotros; y hemos visto su gloria, la gloria propia del Hijo único del Padre, lleno de gracia y de verdad *(Jn 1,14)*.

Dios te salve, María...
Gloria al Padre...

La visitación

Padre nuestro...

1. Por aquellos días, María se puso en camino y fue de prisa a la montaña, a una ciudad de Judá. Entró a casa de Zacarías y saludó a Isabel *(Lc 1,39s)*.

Dios te salve, María...

2. Cuando Isabel oyó el saludo de María, el niño saltó en su vientre *(Lucas 1,41)*.

Dios te salve, María...

3. Entonces Isabel se llenó del Espíritu Santo *(Lc 1,41)*.

Dios te salve, María...

4. Y exclamando en voz alta, dijo:
   —Bendita tú eres entre las mujeres y bendito es el fruto de tu vientre *(Lc 1,42)*.

Dios te salve, María...

5. ¿Pero cómo es posible que la madre de mi Señor venga a visitarme? *(Lc 1,43)*.

Dios te salve, María...

6. María exclamó:

—Mi alma glorifica al Señor *(Lc 1,46s).*

Dios te salve, María...

7. Y se alegra mi espíritu en Dios mi Salvador *(Lc 1,47).*

Dios te salve, María...

8. Porque ha puesto los ojos en la humildad de su esclava *(Lc 1,48).*

Dios te salve, María...

9. Por eso desde ahora me llamarán dichosa todas las generaciones *(Lc 1,48).*

Dios te salve, María...

10. Porque ha hecho en mí cosas grandes el Todopoderoso, cuyo nombre es santo *(Lc 1,49).*

Dios te salve, María...
Gloria al Padre...

El nacimiento de Jesús

Padre nuestro...

1. Mientras estaban en Belén le llegó a María la hora del parto *(Lc 2,6)*.

   Dios te salve, María...

2. Y dio a luz a su hijo primogénito, lo envolvió en pañales y lo acostó en un pesebre, porque no había sitio para ellos en la posada *(Lc 2,7)*.

   Dios te salve, María...

3. Había unos pastores en aquella región, que dormían a la intemperie cuidando sus rebaños durante toda la noche *(Lc 2,8)*.

   Dios te salve, María...

4. De improviso, un ángel del Señor se les presentó, y la gloria del Señor los rodeó de luz. Y se llenaron de un gran temor *(Lc 2,9)*.

   Dios te salve, María...

5. El ángel les dijo:
   —No teman. Miren que vengo a anunciarles una gran alegría, que lo será para todo el pueblo *(Lc 2,10)*.

   Dios te salve, María...

6. Hoy les ha nacido, en la ciudad de David, un Salvador, que es el Mesías, el Señor *(Lc 2,11)*.

Dios te salve, María . . .

7. De pronto aparecieron junto al ángel muchos otros ángeles del cielo, que alababan a Dios diciendo: «¡Gloria a Dios en las alturas y en la tierra paz a los hombres en los que él se complace!» *(Lc 2,13s)*.

Dios te salve, María . . .

8. Después de nacer Jesús en Belén de Judá en tiempos del rey Herodes, unos magos llegaron de oriente a Jerusalén *(Mt 2,1)*.

Dios te salve, María . . .

9. Y entrando en la casa, vieron al niño con María, su madre, y postrándose lo adoraron *(Mt 2,11)*.

Dios te salve, María . . .

10. Luego, abrieron sus cofres y le ofrecieron oro, incienso y mirra, como presentes *(Mt 2,11)*.

Dios te salve, María . . .
Gloria al Padre . . .

La presentación

Padre nuestro...

1. Cuando se cumplieron los días de la purificación prescrita por la ley de Moisés, llevaron al niño a Jerusalén para presentarlo al Señor *(Lc 2,22)*.

Dios te salve, María...

2. Había por entonces en Jerusalén un hombre llamado Simeón. Este hombre, justo y piadoso, esperaba la consolación de Israel, y el Espíritu Santo estaba en él *(Lc 2,25)*.

Dios te salve, María...

3. Había recibido la revelación del Espíritu Santo de que no moriría antes de ver al Mesías enviado por el Señor *(Lc 2,26)*.

Dios te salve, María...

4. Movido por el Espíritu vino Simeón al templo cuando sus padres entraban con el niño Jesús *(Lc 2,27)*.

Dios te salve, María...

5. Simeón lo tomó en sus brazos y bendijo a Dios diciendo:
—Ahora, Señor, puedes dejar a tu siervo irse en paz, según tu palabra *(Lc 2,28s)*.

Dios te salve, María...

6. Mis ojos han visto tu salvación, la que has preparado ante la faz de todos los pueblos *(Lc 2,30s)*.

Dios te salve, María...

7. Luz para iluminar a los gentiles y gloria de tu pueblo Israel *(Lc 2,32)*.

Dios te salve, María...

8. Simeón los bendijo y le dijo a María, su madre:
—Mira, este niño hará que muchos caigan o se levanten en Israel, y para ser signo de contradicción *(Lc 2, 34)*.

Dios te salve, María...

9. —Y a tu misma alma la traspasará una espada, a fin de que descubran los pensamientos de muchos *(Lucas 2,35)*.

Dios te salve, María...

10. El niño iba creciendo y fortaleciéndose lleno de sabiduría, y la gracia de Dios estaba con él *(Lc 2,40)*.

Dios te salve, María...
Gloria al Padre...

La pérdida y hallazgo del niño Jesús en el templo

Padre nuestro...

1. Sus padres iban cada año a Jerusalén, a la fiesta de la Pascua. Y cuando el niño cumplió doce años, subieron a celebrar la fiesta, como era costumbre *(Lc 2,41s)*.

Dios te salve, María...

2. Terminada la fiesta, cuando regresaban, el niño Jesús se quedó en Jerusalén, sin saberlo sus padres *(Lc 2,43)*.

Dios te salve, María...

3. Al no encontrarlo, regresaron a Jerusalén en su busca *(Lc 2,45)*.

Dios te salve, María...

4. Al cabo de tres días, lo encontraron en el templo sentado en medio de los doctores, escuchándolos y haciéndoles preguntas *(Lc 2,46)*.

Dios te salve, María...

5. Todos los que lo oían quedaban admirados de su sabiduría y de sus respuestas *(Lc 2,47)*.

Dios te salve, María...

6. Al verlo se quedaron asombrados, y su madre le dijo:

—Hijo, ¿por qué nos has hecho esto? Tu padre y yo te hemos buscado angustiados *(Lc 2,48)*.

Dios te salve, María . . .

7. Jesús les dijo:

—¿Por qué me buscaban? ¿No sabían que es necesario que yo esté en las cosas de mi Padre? *(Lc 2,49)*.

Dios te salve, María . . .

8. Pero ellos no comprendieron lo que les dijo *(Lc 2,50)*.

Dios te salve, María . . .

9. Bajó con ellos a Nazaret, donde vivió obedeciéndolos *(Lc 2,51)*.

Dios te salve, María . . .

10. Su madre guardaba todas estas cosas en su corazón *(Lc 2,51)*.

Dios te salve, María . . .
Gloria al Padre . . .

Los misterios luminosos

El bautismo de Jesús en el río Jordán

Padre nuestro...

1. Entonces Juan el Bautista dijo:
—Yo soy la voz del que clama en el desierto: «Rectifiquen el camino del Señor», como dijo el profeta Isaías *(Jn 1,23)*.

Dios te salve, María...

2. —Detrás de mí viene el que es más fuerte que yo. Yo no soy digno ni de postrarme ante él para desatar la correa de sus sandalias *(Mc 1,7)*.

Dios te salve, María...

3. Yo los bautizo con agua para que se conviertan, pero el que viene detrás de mí es más fuerte que yo... El los bautizará en el Espíritu Santo y en fuego *(Mt 3,11)*.

Dios te salve, María...

4. Entonces Jesús vino al Jordán desde Galilea, para ser bautizado por Juan *(Mt 3:13)*.

Dios te salve, María...

5. Al día siguiente, Juan vio a Jesús venir hacia él y dijo:
—Este es el Cordero de Dios, que quita el pecado del mundo *(Jn 1,29)*.

Dios te salve, María...

6. Pero Juan trataba de impedírselo diciendo:

—Soy yo quien necesita ser bautizado por ti, ¿y tú vienes a mí? *(Mt 3,14)*.

Dios te salve, María...

7. —Olvida eso ahora; pues conviene que cumplamos lo que Dios ha dispuesto. Entonces Juan accedió *(Mt 3,15)*.

Dios te salve, María...

8. Apenas fue bautizado, Jesús salió del agua y, en ese momento se abrieron los cielos y vio al Espíritu de Dios que bajaba como una paloma y descendía sobre él *(Mt 3,16)*.

Dios te salve, María...

9. Y una voz que venía del cielo decía:

—Este es mi Hijo amado, en quien me complazco *(Mt 3,17)*.

Dios te salve, María...

10. Enseguida el Espíritu Santo lo impulsó hacia el desierto, donde Satanás lo puso a prueba *(Mc 1,12s)*.

Dios te salve, María...
Gloria al Padre...

Las bodas de Caná

Padre nuestro...

1. Se celebraron unas bodas en Caná de Galilea, y allí estaba la madre de Jesús *(Jn 2,1)*.

   Dios te salve, María...

2. Se les acabó el vino, y entonces la madre de Jesús le dijo:
   —No les queda vino *(Jn 2,3)*.

   Dios te salve, María...

3. Jesús le respondió:
   —Mujer, ¿qué nos va a ti y a mí? Todavía no ha llegado mi hora *(Jn 2,4)*.

   Dios te salve, María...

4. La madre de Jesús dijo a los que estaban sirviendo:
   —Hagan lo que él les diga *(Jn 2,5)*.

   Dios te salve, María...

5. Había allí seis cántaros de piedra, de los que utilizaban los judíos en sus ritos de purificación, cada uno con capacidad de unas dos o tres metretas *(Jn 2,6)*

   Dios te salve, María...

6. Jesús les dijo a los que servían:

—Llenen los cántaros de agua. Y los llenaron hasta arriba *(Jn 2,7)*.

Dios te salve, María...

7. Una vez llenos, Jesús les dijo:

—Saquen ahora un poco y llévenselo al maestresala. Así lo hicieron *(Jn 2,8)*.

Dios te salve, María...

8. Cuando el maestresala probó el agua convertida en vino, sin saber de dónde provenía, llamó al novio *(Jn 2,9)*.

Dios te salve, María...

9. El maestresala le dijo:

—Todo el mundo sirve primero el vino de mejor calidad, y cuando los invitados ya han bebido bastante, saca el más corriente. Tú, en cambio, has reservado el de mejor calidad hasta ahora *(Jn 2,10)*.

Dios te salve, María...

10. Así en Caná de Galilea hizo Jesús el primero de los signos con el que manifestó su gloria, y sus discípulos creyeron en él *(Jn 2,11)*.

Dios te salve, María...
Gloria al Padre...

La proclamación del reino de Dios

Padre nuestro...

1. Juan vino a Galilea proclamando la buena noticia de Dios y diciendo:
—El plazo se ha cumplido. El reino de Dios está llegando. Conviértanse y crean en el Evangelio *(Mc 1,14s)*.

Dios te salve, María...

2. En verdad, en verdad te digo que nadie puede entrar en el reino de Dios, si no nace del agua y del Espíritu *(Jn 3,5)*.

Dios te salve, María...

3. Bienaventurados los pobres en el espíritu, porque de ellos es el reino de los cielos *(Mt 5,3)*.

Dios te salve, María...

4. Bienaventurados los perseguidos por hacer la voluntad de Dios, porque de ellos es el reino de los cielos *(Mt 5,10)*.

Dios te salve, María...

5. Por eso les digo que si no son mejores que los maestros de la ley y los fariseos, ustedes no entrarán en el reino de los cielos *(Mt 5,20)*.

Dios te salve, María...

6. Asimismo sucede con el reino de los cielos como un comerciante que busca perlas finas y, cuando encuentra una perla de gran valor, va y vende todo cuanto tiene y la compra *(Mt 13,45s).*

Dios te salve, María...

7. En verdad les digo: si no se convierten y se hacen como los niños, no entrarán en el reino de los cielos *(Mt 18,3).*

Dios te salve, María...

8. Los discípulos se quedaron asombrados ante esas palabras. Pero Jesús insistió:
   —vHijos míos, ¡qué difícil es entrar en el reino de Dios! *(Mc10:24)*

Dios te salve, María...

9. —Es necesario que yo anuncie también a otras ciudades el Evangelio del reino de Dios, porque para esto he sido enviado *(Lc 4,43).*

Dios te salve, María...

10. Ustedes son los que han permanecido junto a mí en mis tribulaciones. Por eso yo les confiero la dignidad real que mi Padre dispuso para mí, para que coman y beban en mi mesa en mi reino *(Lc 22,28-30).*

Dios te salve, María...
Gloria al Padre...

La transfiguración de Jesús

Padre nuestro...

1. Unos ocho días después, Jesús tomó consigo a Pedro, a Juan y a Santiago y subió a la montaña para orar *(Lc 9,28)*.

   Dios te salve, María...

2. Jesús se transfiguró ante ellos, de modo que su rostro se puso tan resplandeciente como el sol, y sus vestidos blancos como la luz *(Mt 17, 2)*.

   Dios te salve, María...

3. En esto, se les aparecieron Moisés y Elías hablando con Jesús *(Mt 17,3)*.

   Dios te salve, María...

4. Ellos estaban resplandecientes de gloria y hablaban del éxodo que Jesús iba a cumplir en Jerusalén *(Lc 9,31)*.

   Dios te salve, María...

5. Pedro tomó la palabra y dijo a Jesús:
   —Señor, ¡qué bien estamos aquí! Si quieres hago tres tiendas: una para ti otra para Moisés y otra para Elías *(Mt 17,4)*.

   Dios te salve, María...

6. Mientras estaban hablando, vino una nube y cubrió a Pedro, a Juan y a Santiago; y se asustaron al entrar en la nube *(Lc 9,34)*.

Dios te salve, María...

7. De la nube salió una voz que decía:
—Este es mi Hijo elegido; escúchenlo *(Lc 9,35)*.

Dios te salve, María...

8. De pronto cuando miraron a su alrededor, vieron solo a Jesús con ellos *(Mc 9,8)*.

Dios te salve, María...

9. Al bajar de la montaña, les ordenó que no contaran a nadie lo que habían visto hasta que el Hijo del hombre hubiera resucitado de entre los muertos *(Mc 9,9)*.

Dios te salve, María...

10. Ellos guardaron el secreto, pero discutían entre sí qué podía significar aquello de resucitar de entre los muertos *(Mc 9,10)*.

Dios te salve, María...
Gloria al Padre...

La institución de la Eucaristía

Padre nuestro...

1. El primer día de los ácimos, cuando sacrificaban el cordero pascual, le dicen sus discípulos:
   —¿Dónde quieres que vayamos a prepararte la cena de Pascua? *(Mc 14,12).*

   Dios te salve, María...

2. El contestó:
   —Vayan a la ciudad, a casa de tal persona, y díganle: «Mi tiempo está cerca; voy a celebrar en tu casa la Pascua con mis discípulos» *(Mt 26,18).*

   Dios te salve, María...

3. Llegada la hora, Jesús se sentó a la mesa con sus discípulos *(Lc 22,14).*

   Dios te salve, María...

4. Él les dijo:
   —¡Cómo he deseado celebrar esta Pascua con ustedes antes de padecer! *(Lc 22,15).*

   Dios te salve, María...

5. El Señor Jesús, la noche en que iba a ser entregado, tomó pan, y dando gracias, lo partió y dijo: «Esto es mi cuerpo, que se da por ustedes; hagan esto en memoria mía» *(1 Co 11,23s)*.

Dios te salve, María...

6. Y de la misma manera, después de cenar, tomó el cáliz y dijo: «Este cáliz es la nueva alianza sellada con mi sangre; cuantas veces beban de él, háganlo en memoria mía» *(1 Co 11,25)*.

Dios te salve, María...

7. Así pues, siempre que coman este pan y beban de este cáliz, anuncian la muerte del Señor hasta que venga *(1 Co 11,26)*.

Dios te salve, María...

8. El cáliz de bendición que bendecimos, ¿no es acaso la comunión de la sangre de Cristo? *(1 Co 10,16)*.

Dios te salve, María...

9. Y el pan que partimos, ¿no es acaso la comunión del cuerpo de Cristo? *(1 Co 10,16)*.

Dios te salve, María...

10. Pues si el pan es uno solo y todos compartimos ese único pan, todos formamos un solo cuerpo*(1 Co 10,17)*.

Dios te salve, María...
Gloria al Padre...

Los misterios dolorosos

La agonía en el huerto de Getsemaní

Padre nuestro...

1. Entonces fue Jesús con sus discípulos a un huerto llamado Getsemaní, y les dijo:
—Siéntense aquí mientras me voy allí a orar *(Mt 26,36)*.

Dios te salve, María...

2. Llevó consigo a Pedro y a los dos hijos de Zebedeo, y comenzó a entristecerse y a sentir angustia *(Mt 26,37)*.

Dios te salve, María...

3. Y luego les dijo:
—Me muero de tristeza, quédense aquí y velen conmigo *(Mt 26,38)*.

Dios te salve, María...

4. Se alejó de ellos como a la distancia de un tiro de piedra, se arrodilló y suplicaba así:
—Padre, si quieres aleja de mí este cáliz de amargura; pero no se haga mi voluntad, sino la tuya *(Lc 22,41s)*.

Dios te salve, María...

5. Entonces se le apareció un ángel del cielo, que lo estuvo confortando *(Lc 22,43)*.

Dios te salve, María...

6. Lleno de angustia, oraba más intensamente, y comenzó a sudar como gotas de sangre que corrían hasta el suelo *(Lc 22,44)*.

Dios te salve, María ...

7. Regresó junto a los discípulos y los encontró dormidos. Entonces dijo a Pedro:
—¿De modo que no han podido velar conmigo ni siquiera una hora? *(Mt 26,40)*.

Dios te salve, María ...

8. Velen y oren, para que puedan afrontar la prueba; pues el espíritu está bien dispuesto, pero la carne es débil *(Mt 26,41)*.

Dios te salve, María ...

9. Aún estaba Jesús hablando, cuando llegó una multitud, encabezada por uno de los doce, llamado Judas *(Lc 22,47)*.

Dios te salve, María ...

10. Él se acercó a Jesús para besarlo, pero Jesús le dijo:
—Judas, ¿con un beso entregas al Hijo del hombre?
(Lc 22,47s).

Dios te salve, María ...
Gloria al Padre ...

La flagelación del Señor

Padre nuestro...

1. Muy de madrugada, se reunieron a deliberar los sumos sacerdotes con los ancianos y los escribas y todo el Sanedrín y, atando a Jesús, lo llevaron a Jesús y lo entregaron a Pilato, quien le preguntó:
   —¿Eres tú el rey de los judíos? *(Mc 15,1s)*.

   Dios te salve, María...

2. Jesús respondió:
   —Mi reino no es de este mundo. Si lo fuera, mis seguidores lucharían para que no fuera entregado a los judíos; pero mi reino no es de aquí *(Jn 18,36)*.

   Dios te salve, María...

3. Para esto he nacido y para esto he venido al mundo, para dar testimonio de la verdad. Todo el que pertenece a la verdad escucha mi voz *(Jn 18,37)*.

   Dios te salve, María...

4. Pilato le preguntó:
   —¿Y qué es la verdad? *(Jn 18,38)*

   Dios te salve, María...

5. Y después de decir esto, se dirigió otra vez a los judíos y les dijo:

—Yo no encuentro en él ninguna culpa. Así que después de castigarlo, lo soltaré (Jn 18,38; Lc 23,16).

Dios te salve, María . . .

6. Entonces empezaron a gritar todos a una:
—¡Fuera con ese! Entonces Pilato tomó a Jesús y mandó que lo azotaran *(Lc 23,18; Jn 19,1).*

Dios te salve, María . . .

7. Fue despreciado y rechazado por los hombres, varón de dolores y habituado al sufrimiento; como alguien a quien no se quiere mirar, lo depreciamos y no lo tuvimos en cuenta *(Is 53,3).*

Dios te salve, María . . .

8. Cuando era maltratado, él se dejaba humillar, y no abría su boca; como cordero llevado al matadero, como oveja ante sus esquiladores, enmudecía y no abría su boca *(Is 53,7).*

Dios te salve, María . . .

9. Sin embargo, él llevaba sobre sí nuestras enfermedades, cargaba con nuestros dolores. Nosotros lo creíamos castigado, herido por Dios y humillado *(Is 53,4).*

Dios te salve, María . . .

10. Pero eran nuestras rebeldías las que lo traspasaban, y nuestras culpas las que lo trituraban. Sufrió el castigo para nuestro bien y con sus heridas nos sanó *(Is 53,5).*

Dios te salve, María . . .
Gloria al Padre . . .

La coronación de espinas

Padre nuestro...

1. Los soldados del gobernador llevaron a Jesús al pretorio y reunieron en torno a él a toda la tropa *(Mt 27,27)*.

Dios te salve, María...

2. Lo desnudaron y le echaron por encima un manto de color púrpura *(Mt 27,28)*.

Dios te salve, María...

3. Trenzaron una corona de espinas y se la pusieron en la cabeza *(Mt 27,29)*.

Dios te salve, María...

4. Le pusieron una caña en su mano derecha; luego se arrodillaban ante él y se burlaban diciendo:
—¡Salve, rey de los judíos! *(Mt 27,29)*.

Dios te salve, María...

5. Le escupían, le quitaban la caña y lo golpeaban con ella en la cabeza *(Mt 27,30)*.

Dios te salve, María...

6. Y se acercaban a él diciendo:
—¡Salve, rey de los judíos! Y le daban bofetadas *(Jn 19,3)*.

Dios te salve, María...

7. Pilato salió una vez más y les dijo:
—Miren, lo traigo de nuevo para que quede bien claro que yo no encuentro delito alguno en este hombre *(Jn 19,4)*.

Dios te salve, María...

8. Salió, pues, Jesús afuera. Llevaba sobre su cabeza la corona de espinas y sobre sus hombros el manto púrpura *(Jn 19,5)*.

Dios te salve, María...

9. Pilato les dijo:
—¿A su rey voy a crucificar? *(Jn 19,15)*.

Dios te salve, María...

10. Pero los sumos sacerdotes contestaron:
—No tenemos más rey que el César *(Jn 19,15)*.

Dios te salve, María...
Gloria al Padre...

El camino al Calvario cargando la cruz

Padre nuestro...

1. Los príncipes de los sacerdotes se hicieron cargo de Jesús quien, llevando a hombros su propia cruz, salió de la ciudad hacia un lugar llamado «La Calavera», en hebreo «Gólgota» *(Jn 19,16s)*.

Dios te salve, María...

2. Cuando lo llevaban para crucificarlo, echaron mano de un tal Simón de Cirene, que venía del campo *(Lc 23,26)*.

Dios te salve, María...

3. Le cargaron la cruz a Simón para que la llevara detrás de Jesús *(Lc 23,26)*.

Dios te salve, María...

4. Lo seguía una gran multitud del pueblo y de mujeres, que se golpeaban el pecho y se lamentaban por él *(Lc 23,27)*.

Dios te salve, María...

5. Jesús volviéndose a ellas y les dijo:
   —Hijas de Jerusalén, no lloren por mí, lloren más bien por ustedes mismas y por sus hijos *(Lc 23,28)*.

Dios te salve, María...

6. Llevaban también con él a dos malhechores para ejecutarlos *(Lc 23,32)*.

Dios te salve, María...

7. Y les decía a todos:
   —Si alguno quiere venir en pos de mí, que se niegue a sí mismo, que tome su cruz cada día, y que me siga *(Lc 9,23)*.

Dios te salve, María...

8. Vengan a mí todos los que están fatigados y agobiados, y yo los aliviaré *(Mt 11,28)*.

Dios te salve, María...

9. Carguen con mi yugo y aprendan de mí, que soy sencillo y humilde de corazón, y encontrarán descanso para sus almas *(Mt 11,29)*.

Dios te salve, María...

10. Porque mi yugo es suave y mi carga ligera *(Mt 11,30)*.

Dios te salve, María...
Gloria al Padre...

La crucifixión de Jesús

Padre nuestro ...

1. Cuando llegaron al lugar llamado «La Calavera», crucificaron allí a Jesús y también a los malhechores, uno a la derecha y otro a la izquierda *(Lc 23,33)*.

Dios te salve, María ...

2. Y Jesús decía:
   —Padre, perdónalos, porque no saben lo que hacen *(Lc 23,34)*.

Dios te salve, María ...

3. Uno de los malhechores crucificados le dijo:
   —Jesús, acuérdate de mí cuando llegues a tu reino
   (Lc 23,39,42).

Dios te salve, María ...

4. Jesús le respondió:
   —En verdad te digo: hoy estarás conmigo en el paraíso
   (Lc 23,43).

Dios te salve, María ...

5. Estaban junto a la cruz de Jesús su madre y el discípulo que tanto amaba *(Jn 19,25s)*.

Dios te salve, María ...

6. Jesús le dijo a su madre:

—Mujer, aquí tienes a tu hijo. Después le dice al discípulo:

—Aquí tienes a tu madre *(Jn 19,26s)*.

Dios te salve, María . . .

7. Era ya alrededor del mediodía, y las tinieblas cubrieron toda la tierra hasta las tres de la tarde *(Lc 23,44)*.

Dios te salve, María . . .

8. E inclinando la cabeza, entregó el espíritu *(Jn 19,30)*.

Dios te salve, María . . .

9. Entonces Jesús, clamando con una gran voz, dijo:

—Padre, en tus manos encomiendo mi espíritu *(Lc 23,46)*.

Dios te salve, María . . .

10. Y en esto el velo del templo se rasgó en dos de arriba abajo y la tierra tembló y las piedras se partieron *(Mt 27,51)*.

Dios te salve, María . . .
Gloria al Padre . . .

Los misterios gloriosos

La resurrección

Padre nuestro...

1. En verdad, en verdad les digo que llorarán y se lamentarán, y en cambio el mundo se alegrará; ustedes estarán tristes, pero su tristeza se convertirá en alegría *(Jn 16,20)*.

Dios te salve, María...

2. Así pues, también ustedes ahora se entristecen, pero los volveré a ver y se les alegrará el corazón, con una alegría que nadie les podrá arrebatar *(Jn 16,22)*.

Dios te salve, María...

3. El primer día de la semana, al amanecer, las mujeres fueron al sepulcro con los aromas que habían preparado *(Lc 24,1)*.

Dios te salve, María...

4. Y de pronto se produjo un gran terremoto, porque un ángel del Señor descendió del cielo, se acercó, removió la piedra y se sentó sobre ella *(Mt 28,2)*.

Dios te salve, María...

5. El ángel se dirigió a las mujeres y les dijo:
—Ustedes no tengan miedo; ya sé que buscan a Jesús, el crucificado. No está aquí *(Mt 28,5s)*.

Dios te salve, María...

6. Jesús ha resucitado como había dicho. Vengan a ver el sitio donde estaba puesto *(Mt 28,6)*.

Dios te salve, María...

7. Vayan enseguida a decir a sus discípulos que ha resucitado de entre los muertos *(Mt 28,7)*.

Dios te salve, María...

8. Ellas partieron al instante del sepulcro, y con temor, pero con mucha alegría, corrieron a darle la noticia a los discípulos *(Mt 28,8)*.

Dios te salve, María...

9. Por último, se apareció a los once cuando estaban en la mesa *(Mc 16,14)*.

Dios te salve, María...

10. Aquel mismo día, dos de los discípulos se dirigían a un pueblo llamado Emaús, que distaba de Jerusalén sesenta estadios. Iban conversando entre sí de todo lo que había acontecido. Y mientras comentaban y discutían, el propio Jesús se acercó y se puso a caminar con ellos, aunque sus ojos eran incapaces de reconocerlo *(Lc 24,13-16)*.

Dios te salve, María...
Gloria al Padre...

La ascensión

Padre nuestro...

1. Después de decir esto, lo vieron elevarse, hasta que una nube lo ocultó de su vista *(Hch 1,9)*.

Dios te salve, María...

2. Después de hablarles, el Señor Jesús fue elevado al cielo y se sentó a la derecha de Dios *(Mc 16,19)*.

Dios te salve, María...

3. Por eso Dios lo exaltó y le dio el nombre que está encima de todo nombre *(Flp 2,9)*.

Dios te salve, María...

4. Es grande, sin duda, el misterio de nuestra religión: Él se ha manifestado en la carne, justificado en el Espíritu, mostrado a los ángeles, predicado a las naciones, creído en el mundo, ascendido en gloria *(1 Tim 3,16)*.

Dios te salve, María...

5. Para quienes por medio de él creen en Dios, que lo resucitó de entre los muertos y lo glorificó, de modo que su fe y su esperanza se dirijan a Dios *(1 Pe 1,21)*.

Dios te salve, María...

6. Por eso dice la Escritura: *Al subir a lo alto llevó consigo cautivos, repartió dones a los hombres (Ef 4,8).*

Dios te salve, María...

7. ¿Qué significa «subió»? ¿No quiere decir que primero descendió a las regiones inferiores de la tierra? *(Ef 4,9).*

Dios te salve, María...

8. El que bajó es el mismo que ha subido a lo alto de los cielos, para llevarlo todo a la plenitud *(Ef 4,10).*

Dios te salve, María...

9. Cristo entró de una vez para siempre en el santuario, no por medio de la sangre de machos cabríos y becerros, sino a través de su propia sangre, consiguiendo así una redención eterna *(Heb 9,12).*

Dios te salve, María...

10. Cristo no entró en un santuario construido por hombres que no pasa de ser una simple imagen del verdadero, sino en el mismo cielo, a fin de presentarse ahora ante Dios para interceder por nosotros *(Heb 9,24).*

Dios te salve, María...
Gloria al Padre...

La venida del Espíritu Santo

Padre nuestro . . .

1. Al llegar el día de Pentecostés, estaban todos juntos en el mismo lugar *(Hch 2,1)*.

Dios te salve, María . . .

2. De repente vino del cielo un ruido, semejante a una ráfaga de viento impetuoso, y llenó toda la casa donde se encontraban *(Hch 2,2)*.

Dios te salve, María . . .

3. Entonces aparecieron lenguas como de fuego, que se repartían y se posaban sobre cada uno de ellos *(Hch 2,3)*.

Dios te salve, María . . .

4. Todos quedaron llenos del Espíritu Santo y comenzaron a hablar en otras lenguas, según el Espíritu los movía a expresarse *(Hch 2,4)*.

Dios te salve, María . . .

5. Entonces Pedro, poniéndose de pie junto con los once, levantó la voz y declaró:
—Judíos y habitantes todos de Jerusalén, entiendan bien esto y escuchen atentamente mis palabras *(Hch 2,14)*.

Dios te salve, María . . .

6. Como profeta, David vio anticipadamente la resurrección de Cristo y dijo que *no sería entregado al abismo, ni su cuerpo experimentaría la corrupción (Hch 2,31).*

Dios te salve, María...

7. Sepan pues, con plena seguridad toda la casa de Israel que Dios ha constituido Señor y Mesías a este Jesús, a quien ustedes crucificaron *(Hch 2,36).*

Dios te salve, María...

8. Estas palabras les llegaron hasta el fondo del corazón, y le preguntaron a Pedro y a los demás apóstoles:
—¿Qué tenemos que hacer, hermanos? *(Hch 2,37).*

Dios te salve, María...

9. Pedro les dijo:
—Conviértanse, y que cada uno se bautice en el nombre de Jesucristo para que queden perdonados sus pecados. Entonces recibirán el don del Espíritu Santo *(Hch 2,38).*

Dios te salve, María...

10. Los que aceptaron su palabra fueron bautizados, y se les unieron aquel día unas tres mil personas *(Hch 2,41).*

Dios te salve, María...
Gloria al Padre...

La asunción

Padre nuestro ...

1. ¡Levántate, Señor, ven al lugar de tu reposo, tú y el arca de tu poder! *(Sal 132,8).*

   Dios te salve, María ...

2. Habla mi amado y me dice: «Levántate, amada mía, hermosa mía, y ven!» *(Cant 2,10).*

   Dios te salve, María ...

3. Una vez que me haya ido y les haya preparado el lugar, regresaré y los llevaré conmigo, para que puedan estar donde voy a estar yo *(Jn 14,3).*

   Dios te salve, María ...

4. Pero a la mujer le fueron dadas dos enormes alas de águila para que volara a su lugar en el desierto y fuera allí alimentada, lejos de la serpiente *(Ap 12,14).*

   Dios te salve, María ...

5. Ella es reflejo de la luz eterna, un espejo nítido de la acción de Dios e imagen de su bondad *(Sab 7,26).*

   Dios te salve, María ...

6. Tú eres la exaltación de Jerusalén, la gran gloria de Israel, el gran honor de nuestra gente. Hiciste todo esto por tu mano, has otorgado grandes bienes a Israel, y Dios se ha complacido en ello. Que el Señor todopoderoso te bendiga por siempre jamás *(Jdt 15,9s)*.

Dios te salve, María...

7. Llévame contigo, ¡Corramos! Condúzcame el rey a sus alcobas *(Cant 1,4)*.

Dios te salve, María...

8. —Hija, bendita seas tú de parte del Dios altísimo por encima de todas las mujeres de la tierra *(Jdt 13,18)*.

Dios te salve, María...

9. Que Dios te conceda esto para exaltación eterna y que te llene de bienes *(Jdt 13,20)*.

Dios te salve, María...

10. Por eso desde ahora me llamarán bienaventurada todas las generaciones *(Lc 1,48)*.

Dios te salve, María...
Gloria al Padre...

La coronación de la Virgen María

Padre nuestro...

1. Así cuando aparezca el Pastor Supremo, recibirán la corona de la gloria que no se marchita *(1 Pe 5,4)*.

Dios te salve, María...

2. Sé fiel hasta la muerte y yo te daré la corona de la vida *(Ap 2,10)*.

Dios te salve, María...

3. Al que venza lo sentaré en mi trono, junto a mí, igual que yo también he vencido y me he sentado junto a mi Padre en su trono *(Ap 3,21)*.

Dios te salve, María...

4. El rey se levantó y salió a su encuentro, se inclinó ante ella y se sentó en el trono. Hizo poner otro trono para su madre y esta se sentó a su derecha *(1 Re 2,19)*.

Dios te salve, María...

5. A tu diestra está la reina, adornada en oro de Ofir *(Sal 45,10)*.

Dios te salve, María...

6. Puse mi morada en las alturas, y mi trono sobre una columna de nubes *(Sirach 24:4)*.

Dios te salve, María...

7. El Señor me ha vestido con un traje de salvación, me ha envuelto con un manto de justicia *(Is 61,10)*.

Dios te salve, María...

8. Por lo demás, me está reservada la corona de la justicia *(2 Tim 4,8)*.

Dios te salve, María...

9. ¿Quién es esta que se asoma como el alba, bella como la luna, esplendorosa como el sol, imponente como un ejército en orden de batalla? *(Cant 6,10)*.

Dios te salve, María...

10. Una gran señal apareció en el cielo: una mujer vestida de sol, con la luna bajo sus pies y una corona de doce estrellas sobre su cabeza *(Ap 12,1)*.

Dios te salve, María...
Gloria al Padre...

10

Toda familia necesita un gran orante

A lo largo de los años, durante mis viajes, he conocido muchas familias maravillosas. Hace algunos años comencé a tratar de concretar lo que hacía que estas familias irradiaran tanta vida sin que nada pareciera alterarlo. Tolstoy empieza su novela épica *Anna Karenina* con estas líneas: «Las familias felices guardan todas una gran similitud, pero las que son infelices lo son de formas muy particulares». Lo que he descubierto es que todas las familias maravillosas que he conocido tienen un gran orante, una persona que cubre a su familia con oración, afianzándola en la gracia de Dios. Los grandes orantes encomiendan constantemente a sus familias y las envuelven con la protección de Dios. En toda gran familia existe, en un pasado no muy distante, una mujer o un hombre de oración. A veces es la abuela o el abuelo, la madre o el padre, un tío o una tía, y de vez en cuando tienes que retroceder dos o tres generaciones, y a veces más. Pero siempre lo encuentras en el árbol genealógico. Toda familia requiere de un gran orante para rezar por la familia ahora y en el futuro.

Supongo que si con el pasar del tiempo, una familia se distancia lo suficiente de ese gran orante sin que otro haya surgido, sus miembros comienzan a desviarse. ¿Toma una generación o dos, o tres o cuatro? No lo sé. Supongo que depende de múltiples variables. Pero en cada generación, toda familia necesita al menos uno de estos hombres o mujeres entregados con fidelidad a la oración para guiarla y protegerla.

Siempre me ha llamado la atención que cuando estoy escribiendo un libro, me encuentro con gran número de personas y de experiencias que sirven de inspiración para lo que hace falta. Es casi como que si Dios me estuviera susurrando al oído. Mientras preparaba el borrador de este capítulo tuve uno de esos momentos. Estaba cenando en Los Ángeles e hice a mis anfitriones algunas preguntas respecto a ellos y a sus vidas. Lo que escuché fue la historia de un gran orante.

Mi curiosidad se despertó cuando descubrí que mis anfitriones tenían seis hijos y veintidós nietos y todos católicos practicantes. Dondequiera que voy encuentro padres y abuelos desconsolados porque sus hijos o nietos han abandonado la Iglesia. Entonces me pregunto quiénes fueron los grandes orantes del pasado y quiénes los del presente de esta familia. Mis anfitriones eran Kathleen and Allen Lund. Esta es la historia del padre de Kathleen.

El 24 de enero de 1945 por la tarde, el soldado americano Eddy Baranski fue ejecutado en el campo de concentración nazi en Mauthausen tras haber sido brutalmente torturado por días. Era hijo, esposo y padre. Su padre no volvió a pronunciar el nombre de su hijo por el resto de su vida. Y mientras su madre tuvo vida, rezó a diario por su muchacho. Su joven esposa, Madeline, tuvo una visión de él sonriéndole cuando, como luego ella se dio cuenta, fue precisamente el momento de su muerte. Y su hija Kathleen, que tenía tan solo dos años de vida cuando su padre salió a pelear contra Hitler, pasó los siguientes cincuenta años sin padre, sin poder recordar su voz, sus caricias o su aroma.

Cincuenta años más tarde, la hija de Kathleen participó en un programa de estudio en el extranjero, en Austria. Mientras visitaba a su hija, Kathleen decidió ir a Mauthausen. Ahí estuvo precisamente en el sótano donde su padre había sido torturado y asesinado con un tiro en la cabeza. Permaneció allí como esperando algo, alguna sensación, algún mensaje, pero no, no hubo nada.

De regreso a casa, Kathleen comenzó a indagar más sobre su padre. Habló con algunos parientes, escribió a los archivos nacionales, a los museos en Europa y al Ejército de los Estados Unidos, y a paso lento la historia de su padre comenzó a emerger.

En 1945 Werner Muller, un ciudadano alemán dictó un documento extraordinario a un teniente austriaco. El políglota Werner había trabajado como intérprete bajo Heinrich Himmler. En octubre de 1944 Muller fue enviado a Mauthausen, donde su trabajo era traducir las interrogaciones de los prisioneros aliados. Describió los siguientes tres meses como un infierno viviente. Muller recordaba a un prisionero por encima de todos: Eddy Baranski.

Describió a Baranski orando mientras un grupo de nazis lo torturaban. El comandante le preguntó al intérprete qué estaba diciendo, y cuando Muller reveló que estaba orando, los oficiales se soltaron a reír a carcajadas. Luego le ofrecieron algo de tomar poniendo agua sobre la mesa, pero la tortura lo había dejado incapaz de levantar sus brazos o sus manos, y ellos no le darían de beber. Muller describió esto como la tarde más miserable de su vida.

Poco a poco, la historia del padre que ella había perdido en una etapa tan temprana de su vida tomaba forma. Un par de años más tarde visitó Piešťany, Eslovaquia, donde su padre había sido capturado y donde estaba la casa en la que él vivía en el momento del arresto. Allí conoció a Maria Lakotova, quien lloró al recordar a Eddy Baranski y las memorias de que él le cantaba canciones de cuna por la noche cuando ella era una pequeña niña en esa casa.

—Tu padre me alzaba. Yo me sentaba en su regazo y él me cantaba –María le dijo a Kathleen—. Pero sé que no me estaba cantando a mí; te estaba cantando a ti, su pequeña niña que estaba tan lejos.

Kathleen nunca lo supo, pero su padre le estaba cantando y estaba rezando por ella. Eddy Baranski era un gran orante. Todas las familias necesitan uno al menos. Hoy Allen y Kathleen continúan su legado al rezar a diario por sus niños y sus nietos.

Todas las familias necesitan de un gran orante, y las parroquias son, de diversas maneras, grandes familias. Cada parroquia necesita grandes orantes que envuelvan a la parroquia con oración. Nuestro mundo se está convirtiendo a paso acelerado en un mundo individualista y la parroquia es una de las bajas en este desenfrenado enfoque egocentrista. Mucha gente va a misa los domingos, pero nunca participa en nada más. No se involucran con la comunidad y la comunidad no se involucra con ellos. Más aún, con frecuencia pueden ir y venir los domingos sin haber hablado con nadie excepto durante el momento de la paz. Para estas personas esta es una experiencia completamente personal desprovista de sentido comunitario. Para explorar que tan largo puede llegar esta actitud pregúntate: ¿qué porcentaje de los feligreses han orado por la parroquia a la que pertenecen fuera de la misa durante los últimos treinta días? Este es uno de los indicadores de compromiso más importantes. Aún no hemos llevado a cabo estudios al respecto, pero puedes estar seguro de que el porcentaje es muy bajo. Así como las familias, las parroquias necesitan de grandes orantes que sean canales de guía y protección.

¿Has conocido a lo largo de tu vida a alguna persona de oración, realmente? ¿Qué notaste en esa persona? Tu familia, tu parroquia, la Iglesia y el mundo necesitan que tú te conviertas en un gran orante.

Permíteme repetir algo que dije antes. Te animo a empezar (o a renovar) hoy mismo tu compromiso con una vida de oración. Usa el rosario y *el proceso de oración* como tus guías. Si lo haces así, tengo confianza en que encontrarás que son guías fieles que te llevarán a una amistad profunda con Jesús a lo largo de toda tu existencia. ¿Qué puedes hacer en esta vida más gratificante que desarrollar una amistad con Dios? Uno de los grandes momentos en la vida de un cristiano ocurre cuando nos damos cuenta, de una vez por todas, de que una vida de oración es mejor que una vida sin esta.

Tu familia necesita un gran orante. Decide ahora mismo aceptar el reto y la invitación de Dios de convertirte en el gran orante de tu familia. Comienza orando por todos los que hoy forman parte de tu familia. Pero no te detengas ahí. Indaga en el árbol genealógico de tu familia sobre las generaciones pasadas y comienza a rezar por ellas, tan atrás como puedas haber rastreado. Reza también por las generaciones futuras —reza por las próximas diez generaciones y más allá.

La mayoría de nosotros reza de forma muy limitada, confinados al aquí y al ahora. Al ir creciendo espiritualmente, el Espíritu Santo nos enseña que la geografía de la oración debe alcanzar cada confín de la tierra y más allá, y que nuestra oración no está limitada a un determinado tiempo y lugar, sino que puede alcanzar tanto a generaciones pasadas como futuras, a personas que nunca conoceremos en esta vida.

La vida espiritual es una oportunidad de amor ilimitado.

Bellamente consciente

En los últimos años he notado que la gente —viejos y nuevos amigos— en un contexto social, se siente más cómoda haciéndome preguntas sobre mis escritos. A veces las preguntas surgen del escepticismo y en otros momentos de un deseo genuino de conocimiento. No obstante, no importa si la persona que pregunta es consciente de ello o no, esas interrogantes siempre responden al hambre que todos tenemos. Desde sus inicios, la humanidad ha tratado de concretar la mejor manera de vivir. Los grandes filósofos de todos los tiempos se han obsesionado con esa interrogante y la gente común y corriente, como lo somos tú y yo, lidiamos con ella cada día de nuestra vida de formas muy prácticas.

¿Por qué oramos? Es una pregunta que me hacen con frecuencia. En una cultura que es cada vez más secular, un mayor número de personas parece desconcertarse ante alguien que se desenvuelve a un alto nivel en negocios, política, ciencias o en otras áreas académicas y al mismo tiempo es una persona de valores imperecederos alimentados por oración habitual en el centro de su vida.

Amo la oración. No entiendo cómo la gente vive sin ella. Aun así, quisiera tener el tiempo y la disciplina para orar mucho más. Cada vez que se aproxima el fin de año y reflexiono sobre lo que ha transcurrido en el año que está a punto de terminar y en el que se aproxima, casi siempre espero y me resuelvo a orar más en el año venidero.

¿Por qué oro? Oro porque no puedo vivir sin oración. No felizmente, en todo caso. Supongo que lo que quiero decir es que puedo sobrevivir sin oración, pero no puedo florecer sin ella.

La oración es esencial. Trae consigo una energía especial y clarifica. La oración me ayuda a descubrir quién soy, para qué estoy aquí, qué es lo más importante y qué es lo que importa menos. Al hacerme recordar qué es lo realmente importante, la oración me enseña a tomar decisiones muy acertadas. Así como el amor, la oración reorganiza nuestras prioridades.

La oración me despierta a lo que realmente necesito para crecer como persona. Me hace ver que los deseos son buenos y maravillosos, y un don de Dios, pero las necesidades son más importantes. Dios ama el orden, y del orden fluye paz, gozo y claridad. La oración me hace recordar que las necesidades son primarias y los deseos secundarios y que hay un orden para todo. Me advierte el tener presente que obtener lo que quieres no siempre te hace feliz, porque simplemente nunca puedes tener suficiente de lo que realmente no necesitas.

La oración es la gran amiga que nos presenta a nosotros mismos. Es la gran mediadora que nos presenta ante Dios. La oración es la amiga fiel que nos indica quiénes somos y quiénes somos capaces de ser y nos alienta o nos reta a llegar a ser la mejor versión de nosotros mismos.

La oración revela los deseos más profundos de nuestro corazón y nos señala el camino que fue dispuesto para nosotros desde el principio de los tiempos. Nos susurra esas palabras de oro: «Esa es tu estrella; emprende ahora tu camino y síguela». La pasión, el propósito y la dirección que todos anhelamos son algunos de los frutos de la oración.

La oración es un trayecto y un destino. Es una oportunidad de familiarizarse íntimamente con aquella mejor persona que sabemos que podemos ser y ese conocimiento de sí mismo es la raíz de la sabiduría.

La oración es importante. Nos ayuda, funciona y es necesaria. Yo la necesito, la oración no me necesita y Dios no necesita de mi oración. La oración no ayuda a Dios; nos ayuda a nosotros. No es simplemente una de las cosas que tenemos que hacer, un deber más. Es algo que dichosamente podemos hacer, y hasta que nos percatamos de ello, un camino que deberíamos emprender.

Oro porque no puedo resistirme. Oro porque en todo momento la necesidad de hacerlo rebosa en mí. Oro porque soy una mejor persona cuando lo hago. No puedo imaginarme una vida sin oración. Me volvería loco. No es una hipérbole o una exageración para capturar la atención. Literalmente creo que enloquecería si me impidieran orar.

La oración me hace una mejor persona; un mejor amigo, un mejor padre, un mejor esposo, un mejor hijo y hermano, un mejor patrono y un mejor líder, un mejor ciudadano y un mejor miembro de la familia humana. La oración me convierte en una mejor versión de mí mismo.

Pero permíteme advertirte: orar es difícil. Al principio podrás sentirte como flotando sobre nubes, pero conforme pasa el tiempo y estableces consistentemente una rutina diaria de oración, sentirás frecuentemente la tentación de aplazarla y postergarla, o de abandonarla por completo. La persona que ora a diario conlleva una fuerza tal que no puede pasarse por alto. El hombre o la mujer que ora a diario cambiará a cada persona que se cruza en su camino. Entonces permíteme decir esto solo una vez. Casi nunca hablo de esto, porque es un tema que concierne a una alta madurez espiritual. Cualquier cosa o persona mala o cualquier espíritu maligno que esté obrando en este mundo hará todo lo que esté a su alcance para asegurarse que no establezcas un hábito diario de oración de forma profunda y consistente.

La oración es difícil. Una de las grandes dificultades que presenta es que cualquier forma de ejercicio espiritual nos trae cara a cara con quién somos, con nuestras fortalezas y debilidades, nuestras faltas, fracasos, carencias, defectos, esperanzas y sueños, y con nuestras mentiras. ¿Cuáles mentiras? Las mentiras que nos decimos sobre nosotros mismos. La oración arrasa con todo esto, lo cual puede ser aterrador. No permitas que estas verdades te desmotiven. Quiero simplemente que puedas reconocer estas cosas cuando salgan a relucir en tu camino.

Más allá de por qué oro, las personas me preguntan especialmente por qué rezo el rosario. Como ya me he referido brevemente a ello, una de las razones principales por las cuales rezo el rosario es porque funciona. Funciona y eso me encanta. Quizás no soy lo suficientemente inteligente como para pensar al respecto a nivel teológico o filosófico, pero aun si lo fuera, creo que todavía valoraría el sentido práctico de este poderoso ejercicio espiritual más allá de su sentido teológico.

Entonces vuelvo a retomar este punto. Funciona. Pero realmente espero que no te conformes con mis palabras. Quiero que lo compruebes tú mismo. Simplemente funciona y cambiará tu vida de formas inimaginables.

Podría tratar de explicarlo, y supongo que en muchos sentidos este libro ha venido alegando a favor del rosario, exponiendo sus múltiples méritos, pero en última instancia, impacta la vida de las personas de distintas maneras, e impacta la vida de una persona de distintas maneras en distintos momentos. Soy consciente y prefiero reservarme lo que sé que ha hecho por otros porque podría generar determinadas expectativas en ti, mientras que tal vez Dios tiene en sus planes usar el rosario de una forma totalmente diferente en tu vida.

No obstante, permíteme compartir a grandes rasgos cómo ha impactado mi vida y las vidas de mucha gente que conozco. Cuando hago el esfuerzo de dedicar un lugar y un espacio para rezar el rosario, me llena de una paz increíble. Ahora hay días en que me siento demasiado distraído como para aceptar esta paz. Pero cuando tengo la disposición indicada, el rosario infaliblemente me genera una paz que nada en este mundo parece proporcionarme.

El rosario me enseña a abandonarme y a rendirme, me calma cuando ando alterado por algo y me enseña a aminorar el paso y a poner las cosas en perspectiva. El rosario es un antídoto. Es todo lo que la gente de este mundo moderno y acelerado necesita.

DA UN PASO ATRÁS Y ADQUIERE ALGO DE PERSPECTIVA

De vez en cuando todos necesitamos dar un paso atrás y reconsiderar quiénes somos, dónde estamos y qué estamos haciendo. Esto es primordial porque no vamos a estar aquí por mucho tiempo. Si no hacemos el esfuerzo de dar un paso atrás con cierta regularidad, nos podemos ver arrastrados por el ímpetu de la vida y antes que nos demos cuenta, ni siquiera nos reconoceremos. Y así, corremos el riesgo de despertarnos una mañana con la sensación de que estamos viviendo la vida de alguien más.

Puedes participar de un retiro por un par de días una vez al año, y eso sería estupendo. Podrías realizar una peregrinación a uno de los lugares épicos de nuestra fe. He visto el cambio que esto ha generado en la vida de tantas personas y en la mía también. Sin embargo, el tiempo transcurre entre estas experiencias y fácilmente podemos perder la perspectiva de Dios. El rosario es un mini-retiro. El rosario es un peregrinaje de bolsillo.

¿Alguna vez sientes el deseo de apartarte del mundo? ¿Alguna vez sientes el deseo de tomarte un largo y buen respiro de todos los compromisos y responsabilidades diarias de tu vida? De seguro que yo sí. Aeropuertos y hoteles, multitud de personas, plazos de proyectos, el hecho de sentir que te jalan en múltiples direcciones a la vez, las cosas inesperadas que simplemente ocurren y que no puedes planear ni poner en agenda. Me invade este sentimiento como una vez cada par de años. Me esfuerzo demasiado, me comprometo con muchas cosas, me siento abrumado y un poco fundido... y luego lo único que quiero es huir y tomarme un descanso. Si alguna vez sientes como que quieres perderte de vista dejando todo atrás, e ir a un lugar quieto y simple, el rosario es una gran forma de hacerlo.

Anhelo paz. Creo que todos la anhelamos. Es bueno alejarse de vez en cuando e irse a algún lugar de retiro o de peregrinaje. Pero también necesitamos encontrar maneras de conectarnos a diario con ese sentimiento de querer retraernos de todo. No me pasa naturalmente. Tengo que ser intencional. Por naturaleza o porque así lo he fomentado, no sé cuál de los dos, soy inquieto. Me gusta estar en movimiento, ocuparme de los asuntos, hacer que las cosas sucedan, y me cuesta sentarme y relajarme. Entonces tengo que esforzarme continuamente para permanecer quieto y en silencio. Y no es una lección que se aprende una vez; es una lección que tengo que aprender una y otra vez.

He aprendido a encontrar paz haciendo largas caminatas en lugares tranquilos. Esa misma paz la encuentro por un instante cuando mis niños me abrazan y me encuentro deseando que ese abrazo se prolongue un poco más. Cuando uno de mis niños se duerme en mis brazos me invade una sensación maravillosa y mi corazón rebosa de paz y de profunda dicha y no puedo hacer otra cosa más que dirigirme a Dios con un corazón agradecido y pedirle que vele por mis hijos. Hallo esta misma paz cuando rezo el rosario.

Rezar el rosario es como apartarse de este mundo caótico, ruidoso y alocado a un remanso de paz, de silencio y de calma.

UN BENEFICIO GIGANTESCO DEL ROSARIO

Mi padre era un empresario y un vendedor. «¿Cómo se le vende cosas a la gente, papá?», le preguntaba. «Bueno, lo primordial es tener un buen producto, luego encuentras a alguien que lo necesita. El siguiente paso es explicar los beneficios de tu producto y cómo mejorará tu negocio y tu vida». Mi papá solía decir: «Una venta es la conclusión lógica de una conversación racional».

Nos hemos referido a una variedad de beneficios que fluyen de rezar el rosario con regularidad. Pero al acercarnos al final de nuestro tiempo juntos, abordemos un asombroso beneficio y regalo que viene de rezar el rosario. Es un beneficio que prácticamente nunca se menciona, pero es inmenso y constituye el centro de una vida espiritual rica e intensa.

Este beneficio gigantesco es la consciencia. El ser consciente de lo que nos sucede interiormente, de lo que acontece a nuestro alrededor y de lo que nos sucede como personas es uno de los increíbles regalos que Dios nos puede dar.

Piensa en algo tan simple como la administración de tu tiempo. ¿Te pasa alguna vez que escribes algo en tu agenda y luego te preguntas por qué lo hiciste? Es como que ni siquiera eras consciente de lo que estabas haciendo en ese momento. El rosario te llena de una sensibilidad especial que te hace plantearte preguntas mientras las cosas de hecho están sucediendo. ¿Cómo te sientes al comprometerte con este evento? Dios te está diciendo algo a través de ese sentimiento. ¿Pero eres consciente? Ese sentimiento podría ser emoción y expectativa, o podría ser temor. De cualquier forma, Dios te está hablando, guiándote y tratando de aconsejarte la mejor manera de proceder. El cristiano con un alto nivel de consciencia se toma un momento para pensar antes de comprometerse con algo.

A todos nos han puesto en situaciones comprometedoras para aceptar hacer algo o a asistir a un determinado evento. ¿Cuántas veces dices que sí a algo bajo presión y luego te arrepientes? La persona consciente no permite que esto suceda. La persona consciente está preparada a enfrentar situaciones como esta y dar una respuesta apropiada: «Jim, no estoy segura que pueda hacerlo, pero escríbeme un correo y revisaré mi agenda para contestarte con prontitud».

Ahora, de vez en cuando te encontrarás con alguien que es particularmente insistente. Probablemente es un gran vendedor. La persona con un alto nivel de consciencia tiene lista una respuesta: «Jim, si tienes que tener una respuesta en este instante, la respuesta es no. Lo siento».

Uno de los regalos más particulares que la consciencia nos otorga es la habilidad de ver las cosas como lo son realmente. ¿Cuántas personas conoces que ven las cosas como lo son realmente? Hay mucha gente que opina más de la cuenta. Personas que opinan sobre asuntos de los cuales no saben nada. Tan pronto pronuncian palabra es claro que no tienen la menor idea de lo que están hablando.

Para ver las cosas como lo son realmente necesitamos abordar cuatro de las interrogantes perennes de la vida: ¿Quién soy? ¿Para qué estoy aquí? ¿Qué es lo más importante? ¿Qué es lo que importa menos?

El cuestionarnos esto a fondo a lo largo de la vida nos ayuda a desarrollar una asombrosa claridad personal. Esta claridad nos ayuda a ver cada invitación y cada oportunidad como realmente es. Esta claridad extraordinaria es una forma de consciencia finamente ajustada que hace que los que la poseen tengan una fabulosa capacidad decisoria. Típicamente son decididos, no titubean y no vuelven la vista atrás.

Nosotros desarrollamos esta consciencia al profundizar en los detalles de los misterios. Mira las sandalias de Jesús que estando de pie se dirige a la multitud, nota cuán polvorientas están, y ya te encuentras sumido en un plano de consciencia completamente distinto. Y ese es un plano con el cual la mayoría de la gente ni siquiera se ha tropezado, uno del cual ni siquiera ha escuchado.

Las múltiples formas en que rezamos y contemplamos los misterios del rosario nos ayudan a crecer en ese nivel de consciencia.

El rezar el rosario regularmente también nos exhorta a aminorar el paso, lo que a su vez nos estimula a vivir la vida a un ritmo diferente del resto del mundo. Este ritmo más pausado nos permite estar presentes.

Si conoces a una persona profundamente espiritual, una persona santa, una cosa que descubrirás es que esa persona está presente para ti. Por los pocos segundos o minutos que estás con ella, te da su completa atención. Es como que si nada más existiera excepto ustedes dos. Al mismo tiempo ten presente que aun la gente que vive vidas santas de forma heroica tiene días malos. Entonces si alguien que consideras santo parece estar distraído, dale el beneficio de la duda porque como todos nosotros puede ser que simplemente esté pasando por un mal día.

¿Qué tan presente estás? ¿Cuándo tu cónyuge se dirige a ti, estás presente? ¿Estás cien por ciento presente para tus hijos cuando estás con ellos? ¿Cuándo te tomas un día de descanso o te vas de vacaciones, apagas el teléfono y dejas el trabajo en casa? Cuando respondes negativamente a estas preguntas —cuando estás pensando en algo más o a la merced de tu dispositivo, por ejemplo—, estás dividido. Un ser dividido es la receta que asegura insatisfacción y miseria. Nada bueno puede provenir de un ser dividido. Y un ser dividido nunca está presente para nada ni para nadie.

Los empleados jóvenes de Dynamic Catholic, o de las otras empresas en las que estoy involucrado, con frecuencia vienen a mí y me preguntan: «¿Cómo puedo avanzar aquí?». Siempre les digo lo mismo: «Esté presente en lo que sea que tu líder te pida realizar ahora. Dedícate y acaba con prontitud y atención lo que estés haciendo en este momento». Esa es la mejor manera de levantar una organización. Mira al equipo de líderes —así es como llegaron ahí. Se dedicaron y acabaron con prontitud y atención la primera cosa que les pusimos al frente, luego les asignamos algo más grande y más importante, y así lo hicieron también. Estaban cien por ciento presentes para su asignación actual.

Aprendamos a estar cien por ciento presentes para lo que sea y quien sea que tengamos al frente. El rosario te lo enseñará si te das tu tiempo.

Una vez que Jesús y María nos enseñan a ver las cosas como realmente son, adquirimos un nivel de consciencia magistral. Dios quiere que saborees cada bocado de comida y te detengas a admirar cada escena inspiradora que la naturaleza te otorga. Él quiere que despiertes, para que puedas experimentar la vida en cada soplo. Esta sensibilidad acentuada hace que la comida te sepa distinto. Con esta sensibilidad aun el lavarse las manos con agua limpia y fresca puede convertirse en un momento impactante.

La mayor parte de la gente tiene realmente muy poca consciencia. La mayoría camina como sonámbulo por la vida. Es una de las grandes tragedias de nuestra época. Dios quiere enseñarnos a ver, a escuchar, a tocar y a saborear de forma distinta. Quiere que veamos no solo con nuestros ojos corporales, sino con los ojos de nuestra alma. Cuando lo hacemos así, vemos algo muy distinto. William Blake escribió: «Para ver el mundo en un grano de arena / Y el cielo en una flor silvestre / Abarca el infinito en la palma de tu mano / Y la eternidad en una hora».

Cuando tu hija o tu nieta de cinco años viene corriendo hacia ti, rebosando de pura dicha y te da el abrazo más grande de que es capaz, Dios quiere que estés totalmente presente. Quiere que experimentes el milagro que eso encierra. Quiere que te pierdas en ese abrazo. La tentación es tratar de prolongarlo, pero eso te saca del momento. Dios quiere que estés radicalmente presente.

El próximo domingo cuando te acerques a recibir a Jesús en la Eucaristía, Dios quiere tu corazón, tu mente, tu cuerpo y tu alma completamente presentes. Quiere que encarnes la historia de la mujer que estaba muriendo hasta que tocó el manto del Maestro. Ella tenía una enfermedad terminal y fue sanada al tocar su manto. Tú estás a punto de recibir al verdadero Jesús en su cuerpo, sangre, alma y divinidad. Lo vas a consumir. Con el corazón abierto, el impacto de recibir a Jesús en la Eucaristía solo una vez es incalculable. Pero estamos dormidos. Si observas a la gente haciendo fila para ir a recibir la comunión, parecen como en estado de trance. Eso no es algo espiritual: es un trance mundano. Están dormidos. Están caminando como sonámbulos por la vida.

Si quieres esforzarte en conseguir algo, esfuérzate por alcanzar consciencia a nivel emocional y espiritual. Si quieres obsesionarte con algo, obsesiónate con la consciencia. ¿Cómo? La consciencia es el fruto de la oración.

Todas las formas de oración cambian la manera en que vemos las cosas. La oración cambia la forma en que nos vemos a nosotros mismos, a Dios, al mundo, a nuestra familia, a los eventos pasados y presentes de nuestra vida, y mucho más. Pero el rosario es especialmente efectivo y poderoso para despertar una asombrosa consciencia en la gente.

EL MOMENTO Y ESTE MOMENTO

¿Cuáles son algunos de los momentos más importantes de la historia? Hazle esta pregunta a cualquier grupo de personas y de seguro tendrás una interesante discusión. Primero, notarás que la mayoría de gente escoge un momento que se relaciona con ellos mismos de alguna manera, aun cuando eso signifique simplemente un evento deportivo en el que su equipo ganó. Lo que la gente escoge nos revela más de ellos que de la pregunta en sí. A menos que tengamos la consciencia de no hacerlo, vemos todo y a todos, incluyendo la historia, a través del lente de nuestro propio ser.

Hay un momento que posiblemente nadie mencionará. No importa si eres muy ilustrado o si tienes poca educación; se pasa por alto prácticamente todo el tiempo. Es uno de los momentos épicos de la historia al cual le dedico considerable tiempo de reflexión: es el momento de María, la anunciación. Ella era una adolescente, una chica, no más. Estaba sola y lo que el ángel decía no tenía ningún sentido terrenal. El silencio invadió ese momento, nada de vitoreos, ni estandartes ni medios de difusión. El ángel la hizo sentirse con mucha paz, pero estoy seguro de que esa sensación se disipó después de su partida y María entonces comenzó a pensar cómo se lo iba a contar a la gente. ¿Quién iba a creerle? ¿Le creerían Joaquín y Ana? ¿Y su prometido, José, le creería? ¿Qué iba la gente de la villa a pensar y a decir? ¿Estaba su vida en peligro? ¿Intentarían apedrearla?

Este es el embarazo más sorprendente de todos los tiempos. Imagínate si José hubiera dicho: «No, realmente no puedo aceptar esta situación». Era entendible. Y por supuesto, existe lo que llamamos libre albedrío. María podía haber sido una madre soltera.

Imagínate cuánto coraje habrá requerido. De nuevo ella era apenas una jovencita, y, sin embargo, tenía un sentido muy bien desarrollado de sí misma, una extraordinaria intimidad con Dios y una mayor consciencia y sabiduría que cualquier otra persona antes de ella. Todo esto contribuyó a que ella reconociera la relevancia del momento.

Pero piensa en esto. Todo pendía de un hilo. Y no olvides el libre albedrío, un ingrediente necesario de todo amor verdadero —y lo que María había aceptado era verdadero amor. Imagínate la expectativa en el cielo. Los ángeles ansiosos, esperando en suspenso. El tiempo transcurre... ¡Date prisa, Gabriel. Ve al grano! Todos los ángeles y toda la historia estaban esperando. Gabriel fue al grano, pero luego María empezó a hacer preguntas. La espera debe haber parecido eterna. Todo pendía de un hilo.

¿Qué habría pasado si María hubiera dicho que no? Nunca lo sabremos, como tampoco sabremos lo que habría sucedido si le hubiéramos dicho sí a Dios aquella vez que le dijimos que no.

Ella dijo sí. Un sí épico. Una sola palabra. Bien, supongo que ella usó diecisiete palabras, pero fue un sí incondicional para Dios. El cielo debe haber estallado de regocijo y alabanza. Todo por la fe de una jovencita llamada Miriam. Fue un momento épico en la historia. Y es un momento que resuena con su eco a través de todos los tiempos.

Creciendo en Australia, fui a un colegio católico para varones. Cada día a mediodía, todo se detenía. Si estabas en tránsito de un edificio a otro, se esperaba que te detuvieras exactamente donde estabas en ese momento. El no hacerlo significaba una sanción disciplinaria. El director entonces guiaba a toda la escuela de más de mil doscientos muchachos, en el rezo del Ángelus. Mirando atrás veinticinco años, me parece extraordinario. Unos días prestábamos más atención que otros. Y sin duda había días que lo veíamos como un obstáculo para seguir con lo siguiente que estuviera programado en nuestra importante y demandante vida. En aquel momento ninguno de nosotros, ni mis compañeros ni yo, teníamos un alto nivel de consciencia, pero esa experiencia nos enseñó algo, muchas cosas, sospecho. Por el resto de mi vida, eso es lo único en que pienso al mediodía.

El intercomunicador sonaba en cada clase y en cada espacio exterior del recinto. Si estabas en la cancha de fútbol o de críquet, sabías que lo podías escuchar con claridad. Luego rezábamos, rememorando este momento épico en la historia. Sin duda los maestros rezaban y esperaban que dijéramos sí a Dios de maneras particulares a medida que nos convertíamos en adultos.

Nuestros maestros dejaban en claro que este era un momento sagrado, y el director pronunciaba las siguientes palabras:

El ángel del Señor anunció a María.
R. Y ella concibió por obra del Espíritu Santo.

Dios te salve, María...

He aquí la esclava del Señor.
R. Hágase en mí según tu palabra.

Dios te salve, María...

Y el Verbo de Dios se hizo hombre.
R. Y habitó entre nosotros.

Dios te salve, María...

Ruega por nosotros, Santa Madre de Dios,
R. Para que seamos dignos de alcanzar las promesas de nuestro
  Señor Jesucristo.

Oremos:

Infunde, Señor, tu gracia en nuestros corazones, para que, los que hemos conocido, por el anuncio del ángel, la encarnación de tu Hijo Jesucristo, lleguemos por los méritos de su pasión y su cruz, a la gloria de la resurrección. Por Jesucristo, nuestro Señor. *Amén.*

No duraba más de dos minutos; una oración bella en su simplicidad, pero era poderosa como se demuestra en cuán impactante es aún la memoria de esa experiencia, veinticinco años después.

Los rituales, las rutinas, los hábitos regulares y los momentos sagrados son todos muy importantes. Sin ellos podemos sobrevivir —miserablemente— pero nunca florecer.

¿POR QUÉ AHORA?

Como mencioné con anterioridad, mi primer libro se trataba del rosario. Tenía dieciocho años entonces, y fue publicado aproximadamente un año después. Cuando el papa Juan Pablo II incorporó los misterios luminosos en el 2002, decidí añadir reflexiones a esos misterios, pero cuando empecé a trabajar en ello me di cuenta de que había mucho en el libro que quería cambiar. Entonces dejé el proyecto de lado, intentando retomarlo en múltiples ocasiones, pero aplazándolo por otros proyectos, hasta ahora.

¿Y por qué ahora? Realmente no lo sé. Me gusta decir que los libros tienen una vida propia y no la puedes forzar. Sé que el resultado de esta espera es un libro mejor y de un contenido más rico. De esto estoy seguro.

Este año, en el 2017, se cumplen cien años de la primera aparición en Fátima. Su mensaje fue tan simple y práctico: ora y ayuna, por ti mismo, por los otros y por el mundo. En mis viajes, nunca he visitado otros de los principales santuarios marianos, pero he estado en Fátima más de veintitrés veces. La mayoría de estos viajes los hice con más de cien peregrinos, y fue realmente un privilegio haber visto el cambio en sus vidas mediante este encuentro.

¿Por qué ahora? Hace cien años el mundo no estaba bien en una variedad de aspectos. Poco sabían de que era apenas el inicio de un siglo de guerras. Estas guerras mataron a decenas de millones de personas, pero aun los que regresaron a casa nunca serían los mismos. La guerra cambia a las personas, y consecuentemente sus matrimonios, sus familias, sus vecindarios y la sociedad.

Ciertamente el mundo está de nuevo, cien años más tarde, en un punto muy frágil. Yo podría orar y ayunar mucho más y no necesito ser un profeta para darme cuenta de que nuestra cultura está acrecentando su deuda espiritual a un paso más acelerado que el de la deuda financiera, y eso es decir mucho. El mundo entero y todos los que lo habitan están en necesidad de oración y de ayuno.

¿Por qué ahora? Probablemente por una razón de la que no estoy consciente, lo cual está bien. He disfrutado escribiendo este libro. Ha renovado mi amor por esta poderosa oración ancestral.

Pero se está haciendo tarde, y siento que este libro ha sido concluido, así que debo dejarlo. Es algo difícil de hacer, despedirse de un libro.

En el volumen de 1993 sobre las reflexiones de los misterios del rosario abrí el libro con las siguientes palabras. Ahora parecen más apropiadas al final.

Transcurren los días, transcurren las semanas y la vida va forjándose de diferentes formas para todos y cada uno de nosotros. No obstante, todos nos esforzamos por lograr tanto bien como podamos en nuestra corta vida, en este mundo bello que Dios en su bondad y generosidad nos ha confiado. Entonces cuando al llegar el ocaso y reposo mi cabeza en mi almohada, es importante sentir que he logrado hoy algo que vale la pena.

Nuestra vida es una colección de días, una colección de momentos. Cada día y cada momento, estamos llamados a decirle «sí» a Dios. En el primer misterio del rosario, María nos enseña a responder humildemente a la voluntad de Dios, es una lección para meditar una vez más antes de añadir a mi vida los momentos del mañana.

Matthew Kelly
Escrito en Sídney, Australia
el 29 de julio, Fiesta de santa Marta,
en el año de 1993.

Esta noche, me dormiré con el rosario en las manos —una razón más por la cual amo mi sencillo rosario de madera. Se me ocurre que es mi favorito porque es muy práctico. No se quiebra, no se enreda y no se raya ni me corta en la noche si me duermo con él. Es mi favorito porque soy un hombre práctico: me fascina lo que funciona.

El rosario funciona. No sé si leíste este libro para redescubrir el rosario y reavivar esa práctica en tu vida. No sé si lo leíste para descubrir el rosario porque por alguna razón nunca ha sido parte de tu vida de oración. Y a lo mejor estás en un punto intermedio. De todas formas, espero que hayas encontrado estas páginas un poco más inspiradoras de lo que esperabas, y numerosas formas prácticas de enriquecer tu experiencia de esta oración épica y ancentral que llamamos el rosario.

Entonces toma tu rosario favorito y ocúpate. Tu familia necesita un gran orante, y el mundo necesita hombres y mujeres de profunda oración.

UNA ÚLTIMA PREGUNTA

Por casi una década cuando comencé como conferencista y escritor, tuve un director espiritual fabuloso. Era un hombre feliz, un hombre santo —y no lo digo a la ligera. Tenía una sonrisa impresionante. Me decía algo que emanaba del amor firme y que sin duda necesitaba escuchar, y luego me sonreía con todo el amor del mundo.

Era un increíble director espiritual porque no tenía segundas intenciones ni intereses. No quería nada de mí. Su única meta era ayudarme a crecer espiritualmente, para que pudiera descubrir y hacer la voluntad de Dios. Todo lo demás era secundario.

Cada semana cuando se reunía conmigo me hacía exactamente la misma pregunta: «¿Cómo está tu vida de oración?». Hoy yo te pregunto lo mismo. Asígnate un puntaje del 1 al 10. ¿Cómo está tu vida de oración? ¿Qué estás haciendo hoy para subir el puntaje?

Reza el rosario. Hermano, hermana, reza el rosario —y recuérdame en tus oraciones cuando lo hagas.

Espero que hayas disfrutado

Vuelve a Descubrir al Rosario

Ha sido un gran privilegio escribir para ti.
Que Dios te bendiga con un espíritu orante
y un corazón lleno de paz.

MATTHEW KELLY

APÉNDICES

Las bases: ¿Cómo rezar el rosario?

He incluido estas simples direcciones sobre cómo rezar el rosario al final de este volumen porque sospecho que la mayoría de la gente que escogería un libro como este ya sabe hacerlo. Al mismo tiempo hay un número creciente de personas de todas las edades a las que nunca se les ha enseñado cómo rezarlo, y si eres uno de ellos, espero que esta simple guía te sea muy práctica.

Dado que el rosario ha perdido popularidad en las últimas décadas, hay muchas más personas que no saben cómo rezarlo. Durante este mismo período, hemos visto un acrecentado número de conversiones de otras iglesias cristianas al catolicismo, y estos conversos en muchos casos nunca han aprendido a rezar el rosario.

Esta sección ha sido incluida para esas personas, pero también como una guía paso a paso para padres y abuelos que desean enseñarles a sus hijos y a sus nietos el rezo del rosario.

LAS CUATRO COSAS QUE NECESITAS SABER PARA REZAR EL ROSARIO

1. Las oraciones
2. Los misterios
3. Las cuentas del rosario
4. Cómo se usan las cuentas

LAS ORACIONES DEL ROSARIO

Señal de la cruz
En el nombre del Padre, del Hijo, y del Espíritu Santo. *Amén.*

Credo de los apóstoles
Creo en Dios Padre todopoderoso, Creador del cielo y de la tierra. Creo en Jesucristo, su único Hijo, nuestro Señor. Fue concebido por obra y gracia del Espíritu Santo y nació de la Virgen María. Padeció bajo el poder de Poncio Pilato. Fue crucificado, muerto y sepultado. Descendió a los infiernos. Al tercer día resucitó de entre los muertos. Subió a los cielos, y está sentado a la diestra de Dios Padre. Desde allí ha de venir a juzgar a vivos y muertos. Creo en el Espíritu Santo, la santa Iglesia católica, la comunión de los santos, el perdón de los pecados, la resurrección de los muertos, y la vida eterna. *Amén.*

Padre nuestro
Padre nuestro, que estás en el cielo, santificado sea tu Nombre; venga a nosotros tu reino; hágase tu voluntad en la tierra como en el cielo. Danos hoy nuestro pan de cada día; Perdona nuestras ofensas, Como también nosotros perdonamos a los que

nos ofenden; no nos dejes caer en la tentación, y líbranos del mal. *Amén.*

Ave María

Dios te salve, María, llena eres de gracia; el Señor es contigo. Bendita tú eres entre todas las mujeres, y bendito es el fruto de tu vientre, Jesús. Santa María, Madre de Dios, ruega por nosotros, pecadores, ahora y en la hora de nuestra muerte. *Amén.*

Gloria

Gloria al Padre, y al Hijo, y al Espíritu Santo. Como era en un principio, ahora y siempre, por los siglos de los siglos. *Amén.*

Oración de Fátima

Oh Jesús mío, perdona nuestros pecados, líbranos del fuego del infierno, lleva al cielo a todas las almas, especialmente a las más necesitadas de tu misericordia.

Esta es la oración que fue añadida a inicios del siglo XX en respuesta a la visión de Fátima. Es una adición opcional al rosario.

La Salve

Dios te salve, Reina y Madre de misericordia, vida, dulzura y esperanza nuestra; Dios te salve. A ti llamamos los desterrados hijos de Eva; a ti suspiramos, gimiendo y llorando en este valle de lágrimas. Ea, pues, Señora abogada nuestra, vuelve a nosotros esos ojos misericordiosos; y después de este destierro, muéstranos a Jesús, fruto bendito de tu vientre. ¡Oh clementísima, oh piadosa, Oh dulce Virgen María!

Ruega por nosotros Santa Madre de Dios
R. Para que seamos dignos de alcanzar las promesas de Nuestro Señor Jesucristo.

Oración final

Oremos
R. Oh Dios, cuyo Hijo unigénito, con su vida, muerte y resurrección, nos alcanzó el premio de la vida eterna; concédenos, a los que meditamos estos misterios del Santo Rosario, imitar lo que contienen y alcanzar lo que prometen. Por el mismo Jesucristo, Nuestro Señor. *Amén.*

Nota: A veces se añaden otras oraciones; sin embargo, estas son las básicas.

LOS MISTERIOS DEL ROSARIO

Los cinco misterios gozosos

La anunciación
La visitación
El nacimiento de Jesús
La presentación
La pérdida y hallazgo del Niño Jesús en el templo

Los cinco misterios luminosos

El bautismo de Jesús en el río Jordán
Las bodas de Caná
La proclamación del reino de Dios
La transfiguración de Jesús
La institución de la Eucaristía

Los cinco misterios dolorosos

La agonía en el huerto de Getsemaní
La flagelación del Señor
La coronación de espinas
El camino al Calvario cargando la cruz
La crucifixión de Jesús

Los cinco misterios gloriosos

La resurrección
La ascensión
La venida del Espíritu Santo
La asunción
La coronación de la Virgen María

Los misterios gozosos típicamente se rezan los lunes y los sábados, los misterios luminosos los jueves, los misterios dolorosos los martes y viernes y los misterios gloriosos los miércoles y los domingos.

LAS CUENTAS DE TU ROSARIO

A lo largo de mi vida me han dado posiblemente como mil rosarios. La mayoría de ellos se los he pasado a otros como regalo. Existen rosarios de todo tipo, desde los más simples hasta los más lujosos. Una vez me dieron un rosario de oro macizo como un regalo de agradecimiento por haber visitado las islas Caimán. Lo conservé como por diez años hasta que un obispo de una diócesis muy pobre en África nos visitó. Al dárselo le expliqué lo que era y le dije: «Consérvelo para que rece con él y para que le permita a la gente usarlo como el rosario diocesano, o véndalo para hacerle frente a alguna necesidad prioritaria en su diócesis. De cualquiera de esas formas, sabré que le ha servido a su pueblo, al pueblo de Dios de buena manera».

No obstante, hay rosarios a los que me he aferrado, aun cuando nunca rezo con ellos. En primer lugar, está el rosario que la señora Rutter me dio en cuarto grado. Es un cordón anudado, de un tono verde oscuro. En lugar de cada cuenta hay un nudo, y tiene un crucifijo blanco de plástico. Fue confeccionado por una orden de religiosas en Papúa Nueva Guinea, un país en las islas del Pacífico Sur, como a ciento veinticinco millas del extremo norte de Australia. Luego están los rosarios que me dieron S.S. el papa Juan Pablo II y S.S. el papa Francisco. Pero como he dicho, prefiero rezar con mi simple rosario de madera. Tengo varios de ellos: uno en mi mesa de noche, otro en mi auto, otro en mi maletín, otro en mi escritorio en la oficina, y otro en mi escritorio en casa.

Las cuentas hacen del rosario una oración tanto física como espiritual. La simple noción de mover tus dedos de una cuenta a otra crea un poderoso ritmo. Este ritmo y movimiento que crea se suma al efecto relajante que se produce en tu mente, alma y corazón al rezar el rosario.

La música majestuosa no consiste solo en las notas musicales; son igualmente importantes los espacios entre esas notas. Las cuentas son importantes porque representan las oraciones, pero los espacios que las separan también lo son. En esos espacios respira profundamente y permite que el ritmo se establezca; de otra forma puedes tener la tendencia de correr. Si comenzamos a rezar apresuradamente, algo se pierde.

Cómo usar las cuentas

Un rosario tiene cincuenta y nueve cuentas. Cada una corresponde a una oración y algunas corresponden a más de una oración. El rosario está constituido por cinco décadas. Cada década consiste de un padrenuestro, diez avemarías y un gloria. Estas representan en total cincuenta y cinco cuentas. Al inicio hay también cuatro cuentas y un crucifijo.

A continuación, hay una explicación paso a paso de cuál oración (u oraciones) rezar en cada cuenta. He incluido adicionalmente un diagrama para brindar una mayor claridad.

Esta oración ha cambiado millones de vidas. Ha sido una oración habitual para innumerables santos. Que te ayude a cambiar tu vida, te ayude a llegar a ser la mejor versión de ti mismo y te guíe a crecer en virtud y vivir una vida santa.

CUENTA POR CUENTA

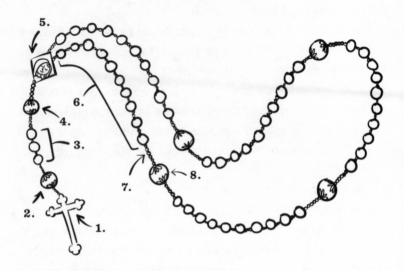

Introductory Prayers

1. Crucifijo. Haz la señal de la cruz y reza el credo.

2. Reza un padrenuestro. Tradicionalmente este se reza por las intenciones del papa y por las necesidades de la Iglesia.

3. Reza un avemaría en cada cuenta. Tradicionalmente estas se rezan por las tres virtudes teologales: fe, esperanza y caridad.

4. Reza un gloria.

Las cinco décadas / misterios

5. Reza el padrenuestro en la medalla. (Para las cuatro décadas siguientes, reza el padrenuestro en la cuenta que está en medio de las décadas).

6. Reza un avemaría en cada cuenta.

7. Reza un gloria en el espacio posterior a la décima cuenta.

8. Reza la oración de Fátima (opcional).

9. Repite los pasos del 5 al 8 para las cuatro décadas restantes / misterios.

Oraciones de cierre

10. Reza la Salve.
11. Reza la oración final.
12. Haz la señal de la cruz.

Citas, oraciones e himnos acerca de María y del rosario

CITAS ACERCA DE MARÍA Y DEL ROSARIO

«Ora y no te aferres a nada. No intentes, ni manipules ni fuerces el resultado. Simplemente confía que Dios abrirá las puertas indicadas en el momento indicado». —Anónimo

«En momentos de oscuridad, tomar el rosario es como tomar la mano de María». —Anónimo

«No hay nada tan poderoso como la gentileza. No hay nada tan gentil como la verdadera fuerza». —San Francisco de Sales

«El rosario es la mejor terapia para las almas angustiadas, tristes, temerosas y frustradas, precisamente porque supone el uso simultáneo de tres poderes: el físico, el vocal y el espiritual». —Venerable Fulton Sheen

«El rosario se rezaba cada noche. Siempre me llamó la atención esa frase sobre las iglesias medievales, que eran las Biblias de los pobres. La Iglesia fue mi primer libro y aún la considero como mi libro más importante». —John McGahern

«Nunca te canses de orar... es lo que es esencial». —San Pío de Pieltrecina

«Cuando tenemos una lectura espiritual en las comidas, cuando tenemos grupos de estudio, foros, cuando salimos a distribuir literatura en los puntos de reunión o la vendemos en las esquinas de las calles, Cristo está ahí con nosotros». —Dorothy Day

«La vida es simplemente mejor cuando rezas el rosario». —Anónimo

«Pensaba que no tenía tiempo para la fe, ni tiempo para orar, y luego vi a un hombre manco rezando el rosario con sus pies». —John Locke

«Cada día trato de crecer en humildad y, ¿cómo hago eso? Cada día rezo el rosario. Eso es lo que hago». —Jim Caviezel

«Un mundo en oración es un mundo en paz». —Venerable Patrick Peyton

«Abandónate con confianza plena entre sus brazos santísimos y ella velará por ti». —San Pío de Pieltrecina

«Sublime gracia, ¡oh cuán dulce eres!». —John Newton

«Nada te turbe,
nada te espante,

todo pasa,
Dios nunca cambia.
La paciencia
todo lo alcanza;
quien a Dios tiene
nada le falta.
Solo Dios basta»
—Santa Teresa de Ávila

«Soy un hombre práctico. Una de las razones por las cuáles me encanta el rosario es porque funciona. Me fascina lo que funciona. Reza el rosario despacio, reflexivamente, y te llenará de una gran paz. Pero no me tomes la palabra. Compruébalo tú mismo». —Matthew Kelly

«Nadie puede vivir continuamente en pecado y seguir diciendo el rosario, o deja el pecado o deja el rosario». —Obispo Hugh Boyle

«Cuando Dios nos da un no, dale las gracias. Él te estaba protegiendo de algo menos que lo mejor». —Anónimo

«Es imposible rezar el rosario regularmente y no convertirte en una mejor versión de ti mismo». —Matthew Kelly

«Si deseas paz en tu corazón, en tu hogar, en tu país, reúnanse cada noche a rezar el rosario. No dejen que ni un día pase sin rezarlo, no importa cuán abrumado te encuentres con los muchos quehaceres de este mundo». —Papa Pío XI

«Dondequiera que se recite el rosario habrá días de paz y tranquilidad». —San Juan Bosco

«En este mundo, el mal es una realidad. Lo he visto, lo he tenido al frente, lo he experimentado. Cuando te encuentras con el mal en carne viva, reza el rosario». —Matthew Kelly

«Mantén la calma y reza el rosario». —Anónimo

«Cuando te das cuenta de cuánto te ama Dios, entonces solo puedes vivir tu vida irradiando ese amor». —Santa Teresa de Calcuta

«Cada día me reúno con María en el rosario. Nunca lo abandono y ella nunca me abandona». —San Juan Pablo II

«La grandeza de María consiste en el hecho de que ella quiere magnificar a Dios, no a ella misma». —Papa Benedicto XVI

«Cuando te sientas desanimado, date prisa y acude a María y ella nuevamente te llenará de esperanza». —Matthew Kelly

«María guardaba todas estas cosas meditándolas en su corazón» —San Lucas (Lc 2,19).

«Hay algo profundamente impactante en una persona que hace lo correcto, en el momento correcto, por la razón correcta. Eso es lo que María hizo y eso cambió el mundo».
—Matthew Kelly

«Nunca tengas temor de amar a María demasiado. Nunca la podrás amar más que lo que la amó Jesús». —San Maximiliano Kolbe

«Vivamos como vivió María... amando a Dios por encima de todo, deseando a Dios por encima de todo, tratando, por encima de todo, de ser grata a los ojos de Dios». —San Juan María Vianney

«Hay algo que me fortalece a diario: el rezo del rosario». —Papa Francisco

«A través de María, y por obra del Espíritu Santo, tuvo lugar el evento más maravilloso de todos los tiempos —Dios se hizo hombre; y, por tanto, a través de ella surgirán los más grandes santos de todos los tiempos». —San Luis Marie de Montfort

«Los misterios del rosario deberían ser replicados en nuestra vida. Cada misterio es una lección de alguna virtud —particularmente sobre las virtudes de la humildad, confianza, paciencia y amor ». —Padre Reginald Garrigou-Lagrange, O.P.

«Si los sacerdotes y los religiosos tienen la obligación de meditar sobre las grandes verdades de nuestra fe para vivir su vocación a plenitud, entonces esa obligación les incumbe a los laicos por igual, dado que a diario se enfrentan a los peligros espirituales. Por consiguiente, deberían meditar frecuentemente sobre la vida, las virtudes y los sufrimientos de Jesús, los cuales están tan bellamente contenidos en los misterios del Santo Rosario». —San Luis Marie de Montfort

ORACIONES ACERCA DE MARÍA Y DEL ROSARIO

Ave María

Dios te salve, María, llena eres de gracia; el Señor es contigo. Bendita tú eres entre todas las mujeres, y bendito es el fruto de tu vientre, Jesús. Santa María, Madre de Dios, ruega por nosotros, pecadores, ahora y en la hora de nuestra muerte. *Amén.*

La Salve

Dios te salve, Reina y Madre de misericordia, vida, dulzura y esperanza nuestra; Dios te salve. A ti llamamos los desterrados hijos de Eva; a ti suspiramos, gimiendo y llorando en este valle de lágrimas. Ea, pues, Señora abogada nuestra, vuelve a nosotros esos ojos misericordiosos; y después de este destierro muéstranos a Jesús, fruto bendito de tu vientre. ¡Oh clementísima, oh piadosa, oh dulce Virgen María!

Magnificat

Proclama mi alma la grandeza del Señor,
se alegra mi espíritu en Dios, mi salvador;
porque ha mirado la humillación de su esclava.

Desde ahora me felicitarán todas las generaciones,
porque el Poderoso ha hecho obras grandes por mí:
su nombre es santo, y su misericordia llega a sus fieles
de generación en generación.

Él hace proezas con su brazo:
dispersa a los soberbios de corazón,
derriba del trono a los poderosos
y enaltece a los humildes,

a los hambrientos los colma de bienes
y a los ricos los despide vacíos.

Auxilia a Israel, su siervo,
acordándose de la misericordia
—como lo había prometido a nuestros padres—
en favor de Abrahán y su descendencia por siempre. *Amén.*

Acuérdate, o piadosísima Virgen María

Acuérdate, ¡oh piadosísima Virgen María!, que jamás se ha oído decir que uno solo de cuantos han acudido a tu protección, implorando tu socorro haya sido abandonado por ti. Inspirado con esta confianza, acudo a ti, oh Madre, Virgen de las vírgenes; a ti vengo, ante ti me presento gimiendo. ¡Oh Madre del Verbo!, No desatiendas mis súplicas, antes bien escúchalas y acógelas benignamente. *Amén.*

Angelus

El ángel del Señor anunció a María.
R. Dios te salve, María, llena eres de gracia; el Señor es contigo. Bendita tú eres entre todas las mujeres, y bendito es el fruto de tu vientre, Jesús. Santa María, Madre de Dios, ruega por nosotros, pecadores, ahora y en la hora de nuestra muerte. *Amén.*

He aquí la esclava del Señor.
R. Hágase en mí según tu palabra.
Dios te salve, María...

Y el Verbo de Dios se hizo hombre.
R. Y habitó entre nosotros.

Dios te salve, María...

Ruega por nosotros, Santa Madre de Dios,
R. Para que seamos dignos de alcanzar las promesas de nuestro Señor Jesucristo.

Oremos:
Infunde, Señor, tu gracia en nuestros corazones, para que, los que hemos conocido, por el anuncio del ángel, la encarnación de tu Hijo Jesucristo, lleguemos por los méritos de su pasión y su cruz, a la gloria de la resurrección. Por Jesucristo, nuestro Señor. *Amén.*

Oración a la Medalla Milagrosa
Oh María, sin pecado concebida, ruega por nosotros que recurrimos a ti, y por aquellos que no te invocan, especialmente los enemigos de la Iglesia y aquellos que te encomendamos. *Amén.*

Letanías de la Santísima Virgen María
Señor, ten piedad
Cristo, ten piedad
Señor, ten piedad.
Cristo, óyenos.
Cristo, escúchanos.

Dios, Padre celestial,	ten piedad de nosotros.
Dios, Hijo, Redentor del mundo,	ten piedad de nosotros.
Dios, Espíritu Santo,	ten piedad de nosotros.
Santísima Trinidad, un solo Dios,	ten piedad de nosotros.
Santa María,	ruega por nosotros.
Santa Madre de Dios,	ruega por nosotros.

Santa Virgen de las vírgenes,	ruega por nosotros.
Madre de Cristo,	ruega por nosotros.
Madre de la Iglesia,	ruega por nosotros.
Madre de la divina gracia,	ruega por nosotros.
Madre purísima,	ruega por nosotros.
Madre castísima,	ruega por nosotros.
Madre siempre virgen,	ruega por nosotros.
Madre inmaculada,	ruega por nosotros.
Madre amable,	ruega por nosotros.
Madre admirable,	ruega por nosotros.
Madre del buen consejo,	ruega por nosotros.
Madre del Creador,	ruega por nosotros.
Madre del Salvador,	ruega por nosotros.
Madre de misericordia,	ruega por nosotros.
Virgen prudentísima,	ruega por nosotros.
Virgen digna de veneración,	ruega por nosotros.
Virgen digna de alabanza,	ruega por nosotros.
Virgen poderosa,	ruega por nosotros.
Virgen clemente,	ruega por nosotros.
Virgen fiel,	ruega por nosotros.
Espejo de justicia,	ruega por nosotros.
Trono de la sabiduría,	ruega por nosotros.
Causa de nuestra alegría,	ruega por nosotros.
Vaso espiritual,	ruega por nosotros.
Vaso digno de honor,	ruega por nosotros.
Vaso de insigne devoción,	ruega por nosotros.
Rosa mística,	ruega por nosotros.
Torre de David,	ruega por nosotros.
Torre de marfil,	ruega por nosotros.
Casa de oro,	ruega por nosotros.
Arca de la Alianza,	ruega por nosotros.

Puerta del cielo,	ruega por nosotros.
Estrella de la mañana,	ruega por nosotros.
Salud de los enfermos,	ruega por nosotros.
Refugio de los pecadores,	ruega por nosotros.
Consoladora de los afligidos,	ruega por nosotros.
Auxilio de los cristianos,	ruega por nosotros.
Reina de los ángeles,	ruega por nosotros.
Reina de los patriarcas,	ruega por nosotros.
Reina de los profetas,	ruega por nosotros.
Reina de los apóstoles,	ruega por nosotros.
Reina de los mártires,	ruega por nosotros.
Reina de los confesores,	ruega por nosotros.
Reina de las vírgenes,	ruega por nosotros.
Reina de todos los santos,	ruega por nosotros.
Reina concebida sin pecado original,	ruega por nosotros.
Reina asunta a los cielos,	ruega por nosotros.
Reina del Santísimo Rosario,	ruega por nosotros.
Reina de la familia,	ruega por nosotros.
Reina de la paz.	ruega por nosotros.

Cordero de Dios, que quitas el pecado del mundo,
R. Perdónanos, Señor.

Cordero de Dios, que quitas el pecado del mundo,
R. Escúchanos, Señor.

Cordero de Dios, que quitas el pecado del mundo,
R. Ten misericordia de nosotros.

Ruega por nosotros, Santa Madre de Dios.
R. Para que seamos dignos de las promesas de Cristo.

Oremos:

Te rogamos nos concedas, Señor Dios nuestro, gozar de continua salud de alma y cuerpo, y por la gloriosa intercesión de la bienaventurada siempre Virgen María, vernos libres de las tristezas de la vida presente y disfrutar de las alegrías eternas. Por Cristo nuestro Señor. Amén.

HIMNOS SOBRE MARÍA Y EL ROSARIO

Dios te salve, María, mujer tierna
por Carey Landry

Dios te salve, María, el Señor está contigo
bendita tú eres entre todas las mujeres
y bendito es el fruto de tu vientre, Jesús
Santa María, madre de Dios, ruega por nosotros pecadores
ahora y en la hora de nuestra muerte. Amén

Mujer tierna, luz serena
estrella de la mañana tan intensa y luminosa
madre tierna, paloma apacible
Instrúyenos en la sabiduría, instrúyenos en el amor.

Escogida por el Padre
Escogida por el Hijo
Escogida entre todas las mujeres
¡Eres todo resplandor!

Bendita eres entre todas las mujeres
Y bendecidas sean, a su vez, todas las mujeres
benditas ellas con mansedumbre en su espíritu
benditas ellas con ternura en su corazón

María
por Liam Lawton

Te he imaginado siempre joven
mujer de serena belleza
rostro besado por el sol que aquilató los cielos
con preguntas insondables
en las entrañas de tu corazón.
Con amor magnánimo llevaste al niño
Que arrullado bajo la luna de Israel
y de las estrellas de Egipto
contemplabas y veías crecer.

Las astillas sacaste de sus polvorientas manos
y madera pusiste en el banco de José.
Con inmensa ternura abrazabas al niño
mientras te hablaba, mientras te hablaba de cosas
que guardabas en tu corazón.

¿Sabías tú lo que yacía en su camino?
¿Cómo sanaría a los enfermos,
resucitaría a los muertos,
hallaría a los que se habían extraviado
y alimentaría a los hambrientos?
Los pequeños estarían bien de nuevo,
los ciegos verían de nuevo la luz,
Lázaro se levantaría
y los cojos echarían a correr.

¿Sabías que tu corazón se desgarraría
al ser él atado, azotado,

colgado de un madero
para que el mundo entero advirtiera
el pecado de la humanidad.

¿Y tu corazón casi estalla,
cuando escuchaste que la tumba estaba vacía?
¿Corriste a ver
y lloraste de nuevo,
derramando esta vez lágrimas de gozo?

En el cielo no envejeces
Tú siempre joven
Eres bella porque amas
Que podamos conocer tu amor
que se torna abrigo, custodia, amparo.

Con profundo afecto,
y con rumbo claro
así como velabas por tu Hijo
vela por nosotros
ayúdanos a encontrar
ese lugar puro en nuestro corazón
que sobrepasa el cinismo
que sobrepasa el odio
que sobrepasa el temor.

Vuelve hacia nosotros tu dulce rostro
que prestemos oído
a las palabras que pronunciaste en Caná
«Haced lo que él os diga»

Y que cuando el ocaso llegue a nuestra vida
podamos caminar un día
por los esplendorosos campos del paraíso
en juventud perenne
envueltos en tu misterio
¡oh mujer, vestida de sol!

Miriam
por Pierce Pettis

Sin estandarte alguno
vino al mundo
en brazos de una joven
de nombre Miriam.
Quien iba a creer nunca
tu prometido, tu familia
la preñez en la adolescencia de Miriam

Aplazadas fueron las leyes naturales
y rescindidas las sentencias de muerte
a través de todo el orbe
por una joven llamada Miriam

Pinturas medievales
de mirada fija y penetrante
Figuras de piedra de ceño fruncido
que parecen juzgar
portando un aura como corona
¿Podría ser Miriam?

Templos de gentiles, vitrales de volutas
Querubines de rizos de oro
¿Cómo no sentirse fascinado por la palabra en hebreo
Miriam?

Idea no tengo de cómo ascendiste
poco me importa lo que ha sido enmendado
De seguro uno fue el milagro
la fe de una joven llamada Miriam

¡Oh bendita eres, en verdad!
Bendito el fruto del árbol
Yeshúa reyes de reyes
el hijo de Miriam

Sin estandarte alguno
vino al mundo
en brazos de una joven
de nombre Miriam.

Fiestas marianas

1 de enero
Solemnidad de Santa María, Madre de Dios*

8 de enero
Nuestra Señora del Perpetuo Socorro

2 de febrero
La Virgen de la Candelaria

11 de febrero
Nuestra Señora de Lourdes

23 de marzo
Nuestra Señora de la Victoria de Lepanto

25 de marzo
La anunciación del Señor

1 de mayo
Reina del Cielo

13 de mayo
Nuestra Señora de Fátima

31 de mayo
La visitación

8 de junio
Trono de Sabiduría, *Sedes sapientiae*

27 de junio
Nuestra Madre del Perpetuo Socorro

16 de julio
Nuestra Señora de la Virgen del Carmen

15 de agosto
Solemnidad de la Asunción de la Virgen María*

18 de agosto
Coronación de Nuestra Señora

22 de agosto
Santa María Reina

26 de agosto
Nuestra Señora de Czestochowa
8 de septiembre
Natividad de la Santísima Virgen María

12 de septiembre
Dulce Nombre de María

15 de septiembre
Nuestra Señora de los Dolores

Mes de octubre
Mes del rosario

7 de octubre
Nuestra Señora del Rosario

21 de noviembre
Presentación de la Santísima Virgen María

8 de diciembre
Solemnidad de la Inmaculada Concepción*

12 de diciembre
Nuestra Señora de Guadalupe

Día de precepto

El primer sábado de cada mes se dedica a devociones marianas.

Mayo es el mes de María.

Octubre es el mes del rosario.

La Fiesta del Inmaculado Corazón de María es el sábado siguiente al segundo domingo después de Pentecostés.

ACERCA DEL AUTOR

Matthew Kelly ha dedicado su vida a ayudar a las personas y a las organizaciones a llegar a ser la mejor versión de sí mismas. Nacido en Sídney, Australia, comenzó su trayectoria como conferencista y escritor cuando aún era adolescente y cursaba su carrera universitaria en negocios. Desde entonces, millones de personas han asistido a sus presentaciones en más de cincuenta países.

Hoy día Kelly es un conferencista, autor y consultor de negocios de reconocido prestigio a nivel internacional. Sus libros han sido publicados en más de veinticinco idiomas y han figurado en las listas de los libros más vendidos del *New York Times, Wall Street Journal* y *USA Today*, con más de treinta millones de ejemplares vendidos.

Kelly es fundador y propietario de Floyd Consulting, una firma de consultoría corporativa que se especializa en potenciar el compromiso de los empleados. Floyd le brinda servicios de consultoría, capacitación y asesoramiento a empresas de todo tamaño, así como expositores destacados para eventos.

Entre sus intereses personales están el golf, la música en vivo, la literatura, la espiritualidad, inversiones, viajar, y pasar tiempo con su familia y amigos.